EL SUEÑO DE IVÁN

Roberto Santiago

sm

Primera edición: septiembre de 2011
Sexta edición: noviembre de 2013

Dirección editorial: Elsa Aguiar
Coordinación editorial: Berta Márquez
Coordinación de diseño: Lara Peces

Fotografías de Diego López Calvín, Vicente Martín y Francis Tsang
Imagen de Cubierta: David Guaita

© Roberto Santiago, 2011
© Ediciones SM, 2011
    Impresores, 2
    Urbanización Prado del Espino
    28660 Boadilla del Monte (Madrid)
    www.grupo-sm.com

ATENCIÓN AL CLIENTE
Tel.: 902 121 323
Fax: 902 241 222
e-mail: clientes@grupo-sm.com

ISBN: 978-84-675-5115-0
Depósito legal: M-29027-2011
Impreso en la UE / *Printed in EU*

1

Me llamo Iván, acabo de cumplir once años y voy a jugar un partido contra los mejores futbolistas del mundo.

Pero antes tengo que atrapar una gallina.

En estos momentos estoy corriendo por un pasillo larguísimo de un hotel. Y una camarera me está mirando como si me hubiera vuelto completamente loco.
Pero no dice nada. No le da tiempo, vamos demasiado rápido y está con la boca abierta, sin saber qué hacer.

Esto es lo que mira la camarera: una gallina que dobla la esquina y corre hacia ella a toda velocidad. Y detrás de la gallina, corriendo también por el pasillo, veintiún niños vestidos de futbolistas.

No es muy normal encontrarse en un pasillo de hotel una gallina y un montón de niños corriendo detrás de ella.

La gallina pasa al lado de la camarera a toda velocidad. Como un cohete. Las dos parecen muy asustadas: la gallina y la camarera.

—Allez, allez!

El que va primero, diciendo «Allez, allez», es Clairac. Es el mayor, tiene doce años, y además es el capitán del equipo, y es francés. Por eso dice «Allez, allez» en vez de «Vamos, vamos», que es lo que habría dicho yo.

Detrás de Clairac van un niño japonés y otro camerunés, gritando sin parar. Y justo detrás de ellos, un angoleño,

un mexicano, un francés y un alemán. Y otros muchos niños
de todo el mundo.

Y también voy yo.

–¡Vamos, Iván, corre! –dice Hugo.

No es que yo fuera el último por ser el más lento.
Iba el último porque los otros corrían más.
Yo estaba guardando fuerzas porque cazar una gallina
no consiste solo en correr mucho. Aunque lo parezca.

Mi amigo Hugo se pega un trompazo. Por correr demasiado
y pensar poco. Se adelanta a los demás y se tira encima
de la gallina, pero el bicho cambia de dirección en el último
momento, y se mete en la puerta de un ascensor
que se acaba de abrir. Y claro, Hugo se estampa contra el suelo.

Dentro del ascensor, hay una pareja de turistas
que se asustan muchísimo al ver una gallina
y veintiún niños gritando y corriendo.

Los turistas gritan más y más fuerte
según nos acercamos a ellos.

Y nosotros gritamos todavía más según corremos
hacia el ascensor.

Todo es un verdadero disparate, como dice mi padre.
Cuando hay algo que no entiende, siempre dice lo mismo:
«Esto es un disparate».

Clairac y los que van delante llegan a la puerta
del ascensor, pero se les cierra en las narices.
Kunde, el camerunés, empieza a dar golpes en la puerta
y a decir cosas en su idioma.

Y entonces Clairac se da la vuelta, nos mira y vuelve a decir:

—Allez, allez!

Y sale corriendo a toda pastilla escaleras abajo.
Todos los demás le seguimos, porque para eso es el capitán.

Al cruzar la puerta, echo un último vistazo a la camarera,
que sigue en el pasillo con su carrito, pegada a la pared,
resoplando y con los ojos muy abiertos.

Bajamos las escaleras. Los veintiuno.
Metiendo muchísimo ruido con nuestras botas de fútbol.
Corriendo, saltando, como sea.

Cuando salimos otra vez al pasillo, miramos a todos lados.
Ni rastro de la gallina.

—Shhhhhhhhhhhhhhhhhhhhhh.

Clairac nos pide que nos quedemos totalmente parados,
sin hacer ruido.

Nos quedamos todos quietos. Mudos.
Escuchando atentamente.

Se oye el ruido de la calle a lo lejos.

Algunos clientes del hotel en el hall.

Unas maletas con ruedas en la puerta de entrada.

Y entonces se puede oír: «¡La gallina está en el jardín!».

Salimos otra vez disparados detrás de ella. No sé
si ya he dicho que las gallinas no se dejan coger fácilmente.

Cuando salimos a la piscina, la gallina está montando
un buen espectáculo.

8   Está subida encima de una mesa del restaurante.
Y dos clientes japoneses no paran de gritar y de agitar
sus servilletas blancas, intentando asustarla. Una señora
mayor, muy elegante, le intenta dar a la gallina con su bolso.

La gallina da un salto y corre entre las mesas.
Seguramente se estaría preguntando qué le había hecho ella
a aquella gente para que la tratasen así.
Suponiendo que las gallinas se pregunten algo.

Nosotros corremos como locos entre las mesas,
persiguiéndola. Pero alguno de los que van delante,
no sé si es Balenko o Vasily o quién, se tropieza
con el camarero que lleva una bandeja y se cae de bruces.
Y se monta un tapón increíble en mitad del restaurante.

Viendo a casi todos en el suelo delante de mí, pienso:
«Esta es la mía». Y entonces paso por encima
de mis compañeros intentando no pisarlos porque llevo
las botas de fútbol puestas. Aunque la verdad
es que a más de uno le piso sin querer.

Veo la gallina unos pocos metros delante de mí.

Pego un salto tremendo.

La voy a coger.

Ya casi la tengo.

Y justo en ese momento...

Un chorro de agua me pega en la cara.

Más que un chorro, es un chorrazo,
porque de la fuerza que lleva me tira de culo.
Un jardinero, que está regando el césped de la piscina,
justo se ha dado la vuelta cuando yo estoy a punto
de atrapar la gallina.

El hombre me pregunta si estoy bien.

Pero la verdad es que no estoy nada bien.

La gallina se ha vuelto a escapar, cuando la tenía a punto. Y yo estoy empapado y tirado en el suelo, viendo cómo se aleja por el callejón del fondo. Mis compañeros se levantan como pueden y continúan la persecución.

Creo que ya lo he dicho, pero lo voy a repetir por si alguien no se ha enterado.

Mi nombre es Iván, hoy cumplo once años, y voy a jugar un partido de fútbol contra los mejores del mundo.

Pero ahora mismo estoy en un hotel de México persiguiendo una gallina.

Voy a contar un par de cosas sobre mi colegio,
y sobre cómo llegué a México.

Que yo recuerde, siempre he ido al colegio de La Alcudia,
que está en Elche, que es una ciudad que está en Alicante,
que es una provincia de España, como todo el mundo sabe.

O eso creía yo, porque hay mucha gente aquí en México
que no lo sabe, y que nunca han oído hablar de Elche
ni de Alicante.

Mi colegio tiene un patio de recreo con un campo de fútbol.

Y yo siempre he jugado al fútbol en ese campo.
Desde que era muy pequeño, cuando casi no podía
ni con el balón.

Porque a mí lo que más me gusta en el mundo es el fútbol.

Mi madre dice que ya era futbolista desde que estaba
dentro de ella. Por lo visto no paraba de dar patadas
y de moverme dentro de la tripa cuando escuchaba un gol
en la televisión o en la radio.

Eso dice.

Aunque a lo mejor exagera.

A mi madre, que se llama Julia, le gusta exagerar
un poco las cosas. Una vez le dijo a una vecina:

—Mi hijo es el mejor estudiante de todo el colegio.

Y se quedó tan ancha.

—El mejor.

La verdad es que yo no era el mejor del colegio,
ni siquiera el mejor de mi clase ni nada parecido.

Pero ese trimestre yo había sacado una A+ en Lengua
y Literatura, y como nunca había sacado una nota
tan buena, pues mi madre estaba supercontenta,
y se lo contaba a todo el mundo.

A su manera, claro.

Mi padre se llama Genaro y es socio abonado del Elche,
y que yo sepa no ha jugado al fútbol en toda su vida.

Pero me ha contado un millón de veces
que cuando yo estaba en la cuna y me ponía a llorar,
en vez de cantarme una nana me ponía
el Carrusel Deportivo para que me calmara con los goles.

No sé si es verdad, porque yo era un bebé
y no me acuerdo de nada de eso.

El caso es que me paso el día jugando al fútbol
en el colegio, en el parque y, los fines de semana,
en la ciudad deportiva.

Y cuando llego a casa, sigo jugando en la Play
con mi vecina Paula.

mi mejor amiga y también le gusta el fútbol,
dice García Corderas que es la más guapa
6º B.

y tiene unos ojos muy grandes, y cuando te mira
con esos ojos parece que te está mirando con rayos X.

Pero lo mejor de Paula es que le gusta el fútbol
tanto como a mí. Se sabe todos los nombres de todos
los jugadores de todos los equipos del mundo. O casi.

Paula y yo estamos todo el tiempo discutiendo:

Qué equipo juega mejor.

Quién metió el mejor gol de la última jornada.

Cuál es la mejor liga: la premier, el calcio o la liga española.

Podemos discutir horas y horas, y nunca nos ponemos
de acuerdo.

Paula tiene canales de pago y allí vemos muchos partidos
de Inglaterra, de Italia y de muchos otros sitios. Yo creo
que cuando me voy de su casa, ella sigue viendo partidos.

Que yo sepa, Paula es la única persona del mundo
a la que le gusta el fútbol más que a mí.

Y además es la más guapa de 6º B. Eso dice García Corderas.

Ahora voy a decir lo que no me gusta de Paula.

Paula siempre cree que tiene razón, y siempre, siempre
te discute lo que tú dices. Sea lo que sea.

Si le digo que este fin de semana ha jugado mejor el Madrid,
ella dice que no, que le gustó más el Barcelona.

Si creo que al Atleti le hicieron un penalti,
ella dice que no fue penalti.

Y si le digo, por ejemplo, que Lee Jung es el mejor jugador
del mundo tirando faltas, ella dice que no, que es un coreano
y que los coreanos nunca son los mejores en el fútbol.

Cuando le dieron el balón de oro a Lee Jung,
ella dijo que todo era una operación de márketing
para captar el mercado asiático.

El caso es que nunca da su brazo a torcer.

Yo tengo dos pósters de Lee Jung en mi habitación
y me parece que es el mejor aunque nunca haya jugado
en España. Pero esa es otra historia.

El asunto es tener siempre la razón.

A mí me da mucha rabia y cuando vuelvo a casa
por la noche se lo cuento a mi padre.

—Es una cabezota —le digo.

Y mi padre siempre hace lo mismo.

Sonríe de medio lado y menea la cabeza.

Y después se marcha y me deja allí sin decir nada.

Que alguien me lo explique, por favor.

Mi madre dice que no me preocupe tanto.

—No te preocupes tanto —dice.

Y luego me dice:

—Y lávate los dientes.

Si fuera por mi madre, todos los problemas del mundo
se solucionarían lavándose los dientes.

Todos los días, sea la hora que sea y pase lo que pase,
ella siempre me dice lo mismo:

—Lávate los dientes.

Hay muchas cosas que no entiendo.

No entiendo a mi profesor de matemáticas, el Tábano.

No entiendo por qué me tengo que lavar los dientes
si no he comido nada.

No entiendo muchas cosas.

Pero lo que menos entiendo es a Paula.

Un día estaba con ella en el patio,
muy cerca del campo de fútbol, y estaba pensando
en preguntarle por qué me llevaba siempre la contraria.

Paula no paraba de hablar.

Y yo estaba allí, esperando el momento
de hacer mi pregunta.

A mí Paula no me gusta. Quiero que eso quede muy claro.
Pero la verdad es que ese día estaba muy guapa.

Yo la miraba con cara de tonto, y ella seguía hablando.

Y entonces ocurrió.

Sentí un golpe en la cabeza.

Y de repente estaba en el suelo.

16

Los oídos me empezaron a pitar y por un momento
lo veía todo un poco nublado.

Me habían dado un tremendo balonazo en la cara.

Sabía de sobra quién había sido.

No hacía falta mirar para saberlo: Morenilla.

El supercapullo.

El mismo que se había pegado con treinta y tres niños
este mismo curso.

El matón del colegio.

Morenilla era un capullo y un chulo por muchas razones:

Porque va un curso por encima de Paula y de mí.

Porque todas las chicas cuchichean cuando pasa cerca
y se le quedan mirando como si fuera una estrella
de la televisión.

Porque tiene todas las consolas que hay
(pero todas, todas) con todos los accesorios,
y se compra todos los juegos nuevos que salen.

Porque se fue con su padre a Sudáfrica para ver
en directo la final del mundial de fútbol que ganó España.
Y además, todos los jugadores de la selección española
le firmaron un balón.

Porque en su página de tuenti tiene más amigos
que ningún otro que yo sepa.

Porque juega al fútbol mejor que nadie en el colegio
y es el pichichi de la liga interescolar.

Y, sobre todo, porque me empuja cada vez que me ve
por los pasillos con Paula.

Pero aquella vez fue distinto.

Primero, porque el balonazo me dio de lleno en la cara.

Y segundo, porque Paula le pegó un grito que yo creo
que Morenilla no se esperaba.

—¡Imbécil!

—¿Eh?

Morenilla se rio como si, en lugar de insultarle,
Paula hubiera hecho una broma.

—¡Morenilla, eres un supercapullo! —añadió Paula.

Y se fue a por él.

Paula a veces se peleaba con chicos de nuestro curso.
Pero nunca con Morenilla, que va a séptimo
y que es el matón oficial del colegio.

Paula estaba muy enfadada y no paraba de gritarle
y de empujarle.

Morenilla se reía.

Sus amigos también se reían cada vez que Paula
le pegaba un empujón, y decían: «Uuuhhh».

Todo el mundo en el patio nos miraba.

Podía haberme metido en mitad de la pelea.
Podía haber cogido a Paula y haberle dicho
que nos fuéramos de allí.

Podía haber hecho muchas cosas que no hice.
En lugar de eso, dejé que ella se encargara del asunto.

A veces dejo que sea Paula la que vaya a pelearse,
pero no porque a mí me dé miedo, sino porque a ella también
le gusta pegarse y también tiene derecho.

Digo yo.

3

Cristiano Ronaldo baja el balón.

Hace una pared increíble con Iniesta,
y sube a toda velocidad por la banda derecha.

Le sale el defensa central, y Cristiano
se la cambia de pie y le hace un regate imposible.

Llega hasta la línea de fondo, centra al punto de penalti...

Y Messi remata de chilena.

El balón entra por la escuadra.

¡Golazo!

Es el golazo del siglo, la verdad.

—¡¡¡Gooooooool de Messi!!! —grita el locutor de la Play.

—¡¡¡Goooool de Paula!!! —grita Paula.

Paula se levanta y se pone a dar saltos
y a saludar como si alguien nos estuviera viendo.

Estamos en mi habitación y no hay nadie más,
pero ella grita y salta como si estuviera en mitad
de un estadio de fútbol.

—Cinco a cero —insiste Paula.

—Es el mando, que no tiene pilas.

—Sí, seguro.

Antes se me olvidó decir otra cosa de Paula.

Siempre me gana a la Play.

Absolutamente siempre.

Pero es porque siempre elige primero
y se pide el equipo con los mejores jugadores.

En la pantalla del televisor aparece un mensaje parpadeando.

PAULA, GANADORA

—¡Paula gana...! ¡Paula, campeona...!

La voz de la Play es muy desagradable cuando pierdes.

Paula sigue celebrando y cantando y bailando alrededor mío.

Y me toca la cabeza.

—¡Iván, perdedor, saluda al campeón!

Y no deja de bailar y de moverse.

Y en ese momento pienso en una cosa
que me había dicho García Corderas,
y que yo no le había hecho ni caso cuando me lo dijo.

—Tienes que besar a Paula antes de las vacaciones
—me dijo un día en el comedor—, porque si no,
pasa tu turno y le toca a otro.

Y yo seguía pensando en eso mientras Paula
hacía el baile de la victoria delante de mí.

Pero también pienso que yo no quiero besar a Paula,
porque ella es mi amiga y mi vecina y, además,
eso de los turnos me parece una tontería y...

En ese momento, se abre la puerta de la habitación
y alguien nos interrumpe.

–Se acabó tanto fútbol y tanto videojuego.

Es mi padre. Habla como si estuviera enfadado de verdad.

Y después dice otra cosa:

–Contento me tienes.

Cuando mi padre dice que contento le tengo,
en realidad es todo lo contrario.

Mi padre nos quita los mandos de la Play y el balón
y me dice que estoy castigado.

–Hola, Paula. Perdona, pero Iván está castigado
por suspender gimnasia –dice.

–¡Pero si fue culpa del potro, que tenía las patas flojas!
–respondo yo.

Y miro a Paula pidiéndole ayuda.

Ella pone cara de no haber roto nunca un plato y dice:

–Es verdad.

Mi padre no se lo traga y se va de la habitación repitiendo «castigado, ya lo sabes», y también dice «patas flojas».

La verdad es que el potro del gimnasio tenía las patas bien, pero es que nos subimos diecisiete encima de él.

Y claro, el potro acabó en el suelo y con las patas rotas.

Aquello fue conocido en el colegio como «el potricidio».

Y justo después del potricidio pasó algo terrible, pero de verdad.

No sé cómo decirlo, así que lo mejor será que lo diga directamente.

Hubo un terremoto.

En África.

Un terremoto enorme, gigantesco.

Estábamos cenando mientras veíamos las noticias. Paula se había quedado a cenar aquella noche.

Mi padre seguía muy enfadado, y no nos miraba a ninguno de los dos.

Solo miraba el plato y la televisión.

Mi padre siempre pone las noticias. Y cuando se acaban, le da al mando a distancia y vuelve a poner las noticias

otra vez en otro canal. Y vuelven a decir lo mismo,
pero en otro orden distinto, y a veces incluso
en el mismo orden.

Mi padre a veces comenta las noticias y parece
que se enfada, y empieza a decir: «Qué disparate»,
pero luego se le pasa enseguida.

Mi madre le dijo que apagara la televisión,
que mientras se cena no hay que mirar la tele.

Pero mi padre no le hizo caso.

Entonces empezaron a hablar de Grissau en las noticias.

—Grissau tiene un equipazo de fútbol —dije yo enseguida.

Y era verdad. Grissau, que es un país pequeño,
había llegado a la final de la última Copa de África.

—Solo perdió contra Egipto —dijo Paula.

Pero a mi madre no le importaba eso.

—Shhhhhh —dijo sin dejar de mirar la tele.

Lo dijo porque no hablaban del equipo de fútbol.

Grissau está en el valle del Rift, que es una zona
de África donde suele haber muchos terremotos.

En las noticias estaban enseñando casas destruidas.
Ciudades enteras habían quedado arrasadas.
Había muchos niños cubiertos de polvo y llorando,
y gente revolviendo entre los cascotes de sus casas.

En el telediario decían que el terremoto había sido
de 9,1 en la escala Richter, que es una escala
que mide los terremotos.

Un terremoto así hace que se caigan casi todas las casas
y los edificios de un país. Y Grissau es un país muy pobre.
Uno de los más pobres de África, que es como decir
uno de los más pobres de todo el mundo.

Las casas de Grissau no aguantan como las de aquí.
Y menos un terremoto.

En los días siguientes, siguieron hablando de Grissau
en los telediarios.

El presentador contó que se habían producido
muchas réplicas, que son terremotos más pequeños.
Pero siguen siendo terremotos y hacen daño.

En Grissau hubo más de doscientas réplicas.
El país entero estaba destruido.

Había muchas víctimas. Y gente que había tenido que huir
de sus casas.

Muchos de ellos, niños como yo.

—Hay que ayudar a esta gente del terremoto, Genaro
—dijo enseguida mi madre.

—Si no te digo yo que no, pero cenar viendo esto...

—Y qué quieres poner durante la cena, ¿los deportes?
Lo que me faltaba ya...

Entonces apareció en pantalla la directora ejecutiva
de UNICEF, que es un organismo —o una organización,
eso no lo sé seguro— que protege los derechos de los niños.

La directora anunció actos benéficos en muchos países
para ayudar a los niños de Grissau.

Pero lo que más nos llamó la atención a Paula y a mí
fue lo que salió después.

—Mira... La FIFA —salté yo al instante.

—¿La qué? —preguntó mi madre, que sabe mucho
de un montón de cosas, pero de fútbol no tiene ni idea.

El presentador del telediario dijo que de todas
las propuestas a favor de los niños damnificados
por el terremoto, la más llamativa se había producido
en la sede de la Federación Internacional de Fútbol...

El presidente de la FIFA se llama Gregg Cullen, y es inglés.

—Y jugó en los años setenta en el Leeds, el Arsenal
y el Sunderland.

Eso lo dijo mi padre. Después nos miró.

—¿Qué pasa? Yo también sé cosas.

Cullen estaba en la entrada de la FIFA, y enseñó
una carta con un dibujo que parecía hecho por un niño.

Casi no se podía ver el dibujo porque a Cullen
le rodeaban periodistas por todos lados.

Contó que esa carta se la había enviado
un niño de Grissau, William Kankwamba.

Resulta que dos semanas antes del terremoto,
en la escuela de su aldea habían estado estudiando
los derechos del niño.

—¿Vosotros estudiasteis eso? —preguntó mi padre.

—¡Shhhh!

Mi madre no nos dejó responder.
Parecía que ya le iba interesando más el fútbol.

Kankwamba recordaba en su carta que en el artículo 31
de la Declaración de los Derechos del Niño se dice
que todos los niños tienen derecho a jugar.

Aquella mañana, Cullen había hecho una propuesta
a la junta directiva de la FIFA para recaudar fondos
en favor de los niños de Grissau: jugar un partido benéfico
entre dos selecciones mundiales.

–Una selección estará formada por las mayores
estrellas del mundo...

Todo el mundo aplaudió mucho. Pero cuando Cullen
anunció la segunda selección, todo el mundo se quedó
con la boca abierta:

–La segunda selección estará formada por niños
de todo el mundo.

Los periodistas empezaron a preguntarle todos a la vez,
gritando y poniéndole muy cerca los micrófonos.

En casa también nos pusimos todos a hablar al mismo tiempo.

–¡Niños contra los mejores futbolistas del mundo! –dijo Paula.

–¡Qué pasada! –continué yo.

Luego, Cullen anunció que el partido se celebraría
en México D.F., en el estadio Azteca,
porque era un estadio enorme y, además, el único
donde se habían jugado dos finales de un mundial.

Pero Paula y yo no podíamos escuchar nada.

–¡Una selección mundial de niños!
–Paula hablaba sin poder creérselo todavía.

–¡Increíble! –yo tampoco me lo creía, la verdad.

–Que sí, Iván, pero ahora termínate la verdura...
–interrumpió mi madre.

–Es un disparate. ¿Niños jugando contra adultos?
No lo van a aprobar en la vida –soltó mi padre.

Ahora tengo que decir otra cosa sobre mi padre.

Cada vez que dice algo, sucede justo lo contrario.

Unos días después, la propuesta de Cullen se aprobó
por mayoría absoluta en el comité ejecutivo de la FIFA.

En la pantalla de la tele pusieron el cartel del partido:

2 DE JUNIO

ESTADIO AZTECA, MÉXICO D.F.

SELECCIÓN MUNDIAL – SELECCIÓN INFANTIL

Y así se creó la selección mundial de niños.

Pero la sorpresa más gorda llegaría después,
cuando se anunció el nombre de los dos entrenadores.

4

Todo el mundo en las noticias, y en la calle, y en mi colegio
también, discutía sobre quiénes serían los seleccionadores.

En la tele y en los periódicos deportivos decían
que se estaba negociando con los mejores del mundo.

Yo creo que Cullen sabía quiénes iban a ser
desde el principio.

Pero que dejó pasar tiempo para que se hablara mucho
y todo el mundo estuviera pendiente el día del anuncio.

A todo el mundo le interesaba mucho quién sería
el seleccionador del equipo de los niños.

Se hicieron encuestas en internet
para ver quién le gustaba más a la gente.

El que eligió Cullen no estaba en ninguna de esas listas.

Nadie, nadie, nadie se esperaba aquel nombre.

Por fin llegó el día y Cullen dio los nombres.

Dijo que habían decidido llamar a los dos mejores
entrenadores del mundo.

Leyó el nombre del primero.

—El seleccionador de los adultos será... Germán Cassari.

Eso no fue ninguna sorpresa. Casi todo el mundo lo sabía.

Paula y yo lo sabíamos porque cuando le preguntaron a Cassari si iba a entrenar a alguno de los equipos dijo: «Nadie se ha dirigido a mí sobre ese tema».

Cuando alguien del fútbol dice que no sabe nada del tema, es que ya está hecho.

O sea, que Cassari entrenaría a los mejores jugadores del mundo porque es el entrenador con más éxito del mundo.

Aunque ni a Paula ni a mí nos gustaba demasiado Cassari.

Los equipos de Cassari son muy aburridos.

Pero ganan siempre, que parece que es lo que importa.

Después, Cullen anunció el segundo nombre.

–Y el entrenador de la selección infantil será... Gonzalo Alejandro Torres.

–¿¿¿Torres??? –Paula y yo nos habíamos quedado con la boca abierta.

Los periodistas también. Enseguida empezaron a preguntar como locos y haciendo mucho ruido, todos a la vez.

–¿Pero no decían que estaba loco? –preguntó mi padre.

–No está loco. Solo se retiró –respondió Paula.

La historia de la retirada de Torres fue así:

Torres era el entrenador más excéntrico del mundo.

Siempre estaba muy serio y llevaba unas gafas de sol
muy grandes.

Para muchos, además, era el mejor entrenador del mundo.

Pero ahora llevaba mucho tiempo sin entrenar.

Torres jugaba en los Pumas de la liga mexicana,
y la verdad es que jugaba muy bien. Pero le pasó una cosa
terrible, lo peor que le puede pasar a un futbolista.

Se lesionó una rodilla y no pudo volver a jugar.
Tuvo que retirarse.

Pero enseguida empezó a entrenar equipos,
y siempre conseguía que sus equipos jugaran bien.

Era tan bueno que muy pronto acabó entrenando
a la selección de México.

Fue el seleccionador mexicano más joven de la historia.

Y batió todos los récords.

En la clasificación para el mundial ganaron todos los partidos.

Y por goleadas.

Eran uno de los grandes favoritos para ganar el mundial.

Durante el campeonato, el equipo de México hizo un juego impresionante. Todo el mundo estaba de acuerdo en que era el equipo que mejor jugaba, con diferencia.

Hasta Paula y yo estábamos de acuerdo en una cosa, y mira que es difícil.

Pero entonces, todo se estropeó.

Creo que todavía no he dicho que Torres y Cassari se llevan muy mal.

En la prensa dicen que son «enemigos irreconciliables».

Vamos, que no se pueden ni ver.

Eso pasó por muchas razones: cuando eran jugadores, ya se llevaban muy mal; al hacerse entrenadores, siguieron llevándose mal. Cada uno representaba un tipo de fútbol completamente distinto.

El caso es que cuando Torres fue nombrado seleccionador de México, casi al mismo tiempo Cassari fue nombrado seleccionador de Argentina.
Y le sentó muy mal que hablaran más de México y de Torres, que de él y de Argentina.

Empezó a criticarle en todas partes. Cuando le pedían su opinión, y también cuando no se la pedían.
Cassari escribe muy bien. Tiene varios libros publicados.

También escribe en los periódicos deportivos.
Y en todos sus artículos de aquella época
se metía con Torres. Decía que era un entrenador
sobrevalorado. Según él, el estilo de Torres era inferior
al de Argentina. Y eso que México ganaba y ganaba partidos.
Pero Cassari seguía igual. No le gustaba. Decía que era
un equipo débil. Que perdería en cuanto jugase
contra una selección fuerte de verdad... como Argentina.

Por fin, México y Argentina se enfrentaron
en semifinales del mundial.

Y Argentina, que jugó con cinco defensas
y un solo delantero, ganó.

En el último minuto. Y de penalti.

La peor manera de perder, como todo el mundo sabe.

Mientras la selección argentina celebraba la victoria,
Torres entró en el vestuario.

Y acabó peleándose a golpes con Cassari.

Alguien lo grabó en vídeo.

A las pocas horas lo había visto medio mundo porque se colgó
en YouTube y además lo pasaron en todos los telediarios.

Algunos decían que era uno de los mayores escándalos
del fútbol mundial.

Después del incidente, a Torres le cesaron
como seleccionador mexicano.

Y Argentina fue campeona del mundo.

En los penaltis otra vez, después de acabar 0-0 el partido.

Para mí, fue el peor partido que he visto en la vida.
Parecía que estaban tan desesperados por ganar
que se les había olvidado jugar al fútbol.

Pero Argentina era campeona del mundo, y a todo el mundo
pareció darle igual que jugaran tan mal.

Después del mundial, a Cassari empezaron a hacerle fotos
acompañado por una mujer muy guapa.
Eso sería lo normal, porque Cassari también es guapo
y famoso y muy rico, y además habla muy bien.

Mi madre sonríe cuando sale por la tele
y dice que es «muy atractivo».

Lo que no parece ya tan normal es que la mujer
que le acompañaba fuera la mujer de Torres.

Bueno, la exmujer.

Mucha gente dijo que la verdadera razón de la pelea
entre Torres y Cassari no había sido el fútbol.
Que la verdadera razón había sido aquella mujer:
Alicia Monet.

Yo no sé nada. Solo soy un niño y no sé nada de esas cosas.
Pero puede que fuera verdad.

El caso es que Torres llevaba dos años sin entrenar.

Hasta que le llamaron para dirigir
a la selección mundial de niños.

Él sería el encargado de elegir y entrenar
a los mejores veintidós niños de todo el mundo.

5

La cola de niños daba la vuelta al estadio.

Y allí en medio estábamos Paula y yo.

Según las noticias, había millones de niños haciendo colas
exactamente iguales que esta en todas partes del mundo...
Bueno, no sé si exactamente iguales, pero muy parecidas.

Yo estaba muy nervioso porque dentro del estadio
hacían las pruebas para la selección infantil.

Nos había acompañado Emilio, que es el abuelo de Paula.

Emilio lleva barba blanca y siempre va vestido
con traje y corbata de color negro.

Saqué el dorsal que me habían dado al apuntarme,
con mi número. Me lo sabía de memoria
porque lo había mirado como cien mil veces.

Pero lo volví a mirar.

—Tengo el número 1.308.

—Es un buen número —Paula parecía tener
más confianza que yo.

—Y eso solo aquí. Imagínate la cantidad de niños
que se habrán presentado en todo el mundo —seguí yo.

—Hasta hoy, ocho millones doscientos cincuenta y cuatro mil
niños. Lo han dicho en la tele.

Entonces oímos al abuelo detrás de nosotros,
que le estaba dando un trago a una petaca
que siempre lleva encima.

Yo bajé la voz y le pregunté a Paula
por qué había venido su abuelo con nosotros.

Además de ir de negro y de beber,
Emilio siempre se me quedaba mirando muy fijamente.

Como si me vigilara.

Cada vez que me miraba así, me hacía pensar
que había hecho algo malo. Aunque yo no haya hecho nada.

Y además, me llama «chavalote» todo el tiempo.

Así era el abuelo de Paula. Chavalote por aquí
y chavalote por allá, como si no supiera mi nombre.

—Mi madre dice que es para que se distraiga.
Como fue futbolista... —dijo Paula.

Aquello era lo último que me esperaba.

—¿Futbolista profesional? —pregunté,
pensando que Paula se estaba quedando conmigo.

—Jugó hace mucho, pero no le gusta hablar de eso
—respondió ella.

Ningún compañero del colegio tenía un abuelo
que hubiera sido futbolista profesional.

Yo no sabía si hacerle caso a Paula o no.

Así, vestido de negro, parecía más un árbitro
que un futbolista.

La verdad, era difícil de creer.

Pero en aquel momento a mí me preocupaba otra cosa
mucho más que el abuelo.

Miré el estadio delante de mí.

—Si ni siquiera soy uno de los mejores del colegio,
¿cómo voy a ser uno de los mejores del mundo?

Paula me sonrió, pero la verdad es que no sabía
qué contestar...

Entonces noté que me tocaban en el hombro.

Me di la vuelta. Y ahí estaba el abuelo,
que me miraba muy fijamente.

—Chavalote...

Lo dijo mientras me ofrecía la petaca.

Y añadió:

—¿Quieres un poco para que se te quite la cagalera?

No podía creérmelo. El abuelo de Paula
me estaba ofreciendo un trago.

—Solo tengo diez años —le respondí yo.

—Chorradas. En mi época siempre tomábamos un trago
antes de los partidos —refunfuñó él.

Y le pegó un buen trago a la petaca.

Paula y yo nos miramos sin saber qué decir.

6

El entrenador Torres era uno de los mejores entrenadores
de fútbol de todos los tiempos.

Y yo estaba a punto de jugar delante de él.

Dentro del estadio, había otra cola de niños que esperaban
para entrar al terreno de juego.

Torres estaba allí, vigilando las pruebas en persona.

Pero no de pie, como suelen hacer los entrenadores.

Estaba sentado en un sillón.

El sillón era enorme, y Torres estaba tan cómodo en él
que parecía que se lo hubiera traído de casa.

Lo mismo era verdad que se lo había traído de casa.

Se estaba jugando un partidillo.

Y muchos niños distintos iban entrando y saliendo
continuamente.

Torres estaba acompañado por sus ayudantes
de toda la vida, el gordo Frigo y el calvo Galletti.

Frigo era el que daba la entrada a los jugadores
desde la banda.

Antes se me olvidó decir que Frigo es muy bajito. Tanto,
que de espaldas se le podría confundir con otro niño.

Al mismo tiempo, Galletti corría como un loco
entre los niños que estaban jugando.

Cada vez que tocaba en el hombro a un jugador,
tenía que abandonar el campo, y otro entraba en su lugar.

Yo estaba muy cerca de Frigo, a punto de entrar
al terreno de juego.

Miré de reojo a la grada, donde estaban Paula y su abuelo.

Ellos me miraron, intentando animarme.

Bueno, más Paula que su abuelo. La verdad es que Emilio
no movió ni una ceja.

Voy a decir una cosa que no repetiré después.

Tenía mucho miedo.

Era mi única oportunidad de jugar en la selección mundial.

No tendría otra. Solo esa.

Además, en ese momento sucedió algo
que no me ayudó nada a tranquilizarme.

Un niño de los que estaban jugando el partido
metió un golazo desde fuera del área.

Lo miré mejor y lo reconocí: Morenilla.

Allí estaba, haciéndose el chulito. Como siempre.

Y marcando golazos. Como siempre.

Si alguien de mi colegio tenía posibilidades de entrar
en la selección infantil, ese era Morenilla.

Galletti tocó en el hombro a un defensa,
que se marchó del campo.

El gordo Frigo me hizo una seña.

–Adentro, en la zaga –me ordenó.

Me quedé paralizado.

La zaga es la defensa.

Y yo no soy defensa. Soy delantero.

Soy muy mal defensa.

Intenté explicárselo a Frigo.

–Pero... es que yo no soy defensa –le dije.

Pero Frigo no parecía tener tiempo para esas cosas.

–Hay miles de pibes esperando. ¿Entrás o no entrás?

Yo ya no podía hacer nada más.

Había ido a las pruebas dispuesto a meter goles,
que es lo que sé hacer, y de primeras me ponían de defensa.

No tenía ninguna posibilidad.

Por extraño que suene, al entrar al campo
solo podía pensar en una cosa: iba a hacer el ridículo
más espantoso y nadie lo podría remediar.

Morenilla, que estaba en el equipo contrario,
me miró como si me fuera a fulminar.

—¿Qué haces aquí? Esto es para jugadores de fútbol,
no para nenazas...

Galletti se acercó y me señaló el sitio del campo
donde tenía que colocarme.

—Lateral izquierdo, negro.

Frigo y Galleti son argentinos, y por lo visto
los argentinos les llaman negros a los morenos como yo.

Yo estaba enfadado porque no me querían poner en mi sitio.

—Pero es que soy delantero...

Pero con Frigo, Galletti o Torres no valía eso de insistir.

Eran muy cabezotas. Los tres.

Galletti ni me oyó. O no quiso escucharme.

Me coloqué donde me habían dicho y eché un vistazo
a mis compañeros de equipo.

Aquello, la verdad, no es que me animara mucho.

Había un niño gordo. Y otros dos con pinta de torpes...

El balón se puso en juego.

Y antes de que me diera cuenta de nada, el equipo contrario cogió el balón, hizo dos pases seguidos al área...

Y Morenilla remató de cabeza.

¡Otro golazo!

Delante de Torres, que lo observaba todo desde su sillón.

—¡Iván, vamos, tú puedes!

Paula aplaudía e intentaba darme ánimos desde la banda.

El abuelo, en cambio, no decía absolutamente nada.

Entonces me cansé. Reuní a los jugadores de mi equipo y formamos un círculo.

Y yo empecé a hablar.

—Así no pasamos ni del centro del campo. A ver: el portero va a sacarla con la mano, y los centrales os vais a abrir a las bandas para que no puedan presionarnos la salida del balón. ¿Estamos?

Galletti nos llamó desde el centro del campo y nos dijo que no había tiempo para tonterías.

Pero lo que estábamos haciendo
no me parecía ninguna tontería.

Me habían colocado en un sitio que no era el mío.

Y al resto del equipo, igual.

Y además, íbamos perdiendo.

Me di la vuelta hacia Galletti.

–No son tonterías. Así no se puede jugar al fútbol.
Aquí cada uno va a lo suyo. Yo soy delantero
y me obligan a jugar de defensa. Este chico es central
y le ponen de delantero centro. Y el gordo,
que es portero, tiene que jugar en la defensa...

–Yo no estoy gordo –dijo el niño gordo.

–El fútbol es un juego de equipo, no puede hacer cada uno
lo que le dé la gana. ¿Nos deja organizarnos o no? –acabé yo.

Galletti sonrió y miró a Torres.

Y Torres, que seguía sentado en su sillón,
se encogió de hombros. Parecía que mi ocurrencia
le había hecho gracia.

Así que nos organizamos y después continuamos el partido.

Cuando cada uno juega en su sitio, el fútbol es otra cosa.

Empezamos a hacer jugadas desde atrás,
tocando rápido y al primer toque.

En cada jugada participábamos casi todos los del equipo.

Y llegamos al área rival varias veces.

Aunque no conseguimos meter gol, habíamos conseguido
que algo cambiara. En el campo. Y también en la grada.

Ahora incluso el abuelo de Paula nos prestaba atención.

Yo no paraba de gritar, de animar a mis compañeros,
de señalar jugadas...

Hasta que cogí el balón, me fui por la banda,
hice un regate y me planté frente al área.

Tenía delante de mí a dos defensas. Y ningún compañero.

Entonces hice lo primero que se me pasó por la cabeza.

Le pegué al balón con fuerza para que rebotara
sobre alguien y hacer una pared.

Lo extraño de la jugada es que la pared la hice...
¡con el árbitro!

Y el árbitro era Galletti, que se quedó
con cara de pocos amigos, la verdad.

Después de la pared, me quedé solo delante del portero.

Ahora me faltaba el último paso: tirar a puerta y marcar gol.

Sentí la mirada de Torres clavada en mí.

Yo estaba solo delante del portero, y le iba a pegar al balón.

Y a lo mejor era el gol más importante de mi vida...

Entonces un defensa apareció de la nada,
me pegó un empujón muy fuerte y me tiró al suelo.

Y se llevó el balón, por supuesto.

Y ahí acabó todo.

Paula se puso hecha una furia.

−¡Árbitro, estás ciego o qué, ha sido falta!

Yo también protesté desde el suelo, pero nadie pitó falta.

Y lo que es peor.

El equipo contrario montó un contraataque muy rápido.

Morenilla recibió el balón, corrió como una moto,
hizo un recorte y disparó un cañonazo que casi rompe la red.

Otro golazo.

Era el tercero o el cuarto que metía,
ya había perdido la cuenta.

Y Morenilla hizo otra vez su celebración particular
ante los aplausos de todos.

Paula y el abuelo miraron para otro lado. Pero Torres no.

Torres estaba mirando a Morenilla.

7

Llevábamos veinte minutos viendo anuncios.

Como cada vez que van a echar algo importante por la tele.

Y lo que iba a pasar ese día era muy importante.

Torres iba a dar por fin la lista de la selección de niños desde Suiza, que es donde está la sede de la FIFA.

Los días anteriores, yo había intentado olvidarme de ello porque sabía que no tenía ninguna posibilidad.

Así que volví a hacer lo de siempre: jugar al fútbol a todas horas.

Pero el tema del partido y la selección mundial al final salía siempre. Sobre todo cuando hablaba con Paula.

Y cuando no me lo recordaba ella, me lo recordaba mi padre.

O incluso mi madre.

¡Parecía que no había otro tema de conversación!

De modo que allí estábamos. Delante de la tele.
Mis padres, Paula y yo.

Viendo anuncios de juegos, de películas,
de televisiones en 3D.

En todo el mundo había muchísimos millones de niños pendientes de lo que iba a pasar.

—Lo hacen para que les compren un regalo
a los que no van a ser elegidos, para compensar el berrinche
—dijo mi padre.

Yo creo que la decepción porque no te elijan
no la compensa un regalo ni nada en el mundo.
Ni siquiera una tele de mil pulgadas.

Entonces empezó el programa en directo, y Torres
salió en pantalla leyendo la lista de jugadores elegidos.

Era como cuando se anuncian las nominaciones de los Oscar.

Yo estaba muy nervioso y casi no podía mirar a la pantalla.

—No me van a coger, no me van a coger...

—Yo creo que no te van a coger —añadió mi padre.

—¡Genaro! —saltó mi madre.

—¿Qué pasa? ¿El niño puede decirlo y yo no?

—Shhhh —los interrumpí yo—. Va a empezar.

Ahí estaba Torres. Tenía una tableta electrónica
en las manos.

Empezó a leer.

—La selección mundial de niños estará compuesta por:
Porteros: Vasili Maximov, de Ucrania; Pedro Landa,

de Venezuela. Defensas: John Stevens, de Inglaterra;
Nicolai Balenko, de Rumanía; Michael Becks,
de los Estados Unidos; Jean Baptiste Clairac,
de Francia; James Uribe, de Brasil; Gabriel Biguerini,
de Italia. Mediocampistas: William Kankwamba, de Grissau...

–Claro, normal que le cojan –dijo mi madre.

–Dicen que es buenísimo –respondió Paula.

Torres seguía diciendo nombres.

–Raúl Batidor, de Chile; Andre Kunde, de Camerún;
Jorge Gutiérrez, de Colombia; Hugo Márquez, de México;
Khaled Aijub, de Marruecos...

En la pantalla había un mapa del mundo.
Y cada vez que Torres nombraba a un jugador,
salía una ventana del país del niño, con un pequeño vídeo.

Quedaba bastante chulo, la verdad.

Yo ya no aguantaba más. Parecía que aquello no se iba
a terminar nunca. Mi padre estaba igual de nervioso que yo.

–¿Y cuándo llegan los delanteros?

Por fin llegó el momento. Torres dijo: «Delanteros».

Y todos contuvimos la respiración.

El primer nombre que dijo Torres fue:

—Pablo Morenilla, de España...

Paula y yo nos miramos un momento.
Y resoplamos por la decepción.

Por una parte, me alegraba por Morenilla.

En serio.

Por muy chulito y matón que fuera, Morenilla era
un futbolista muy bueno. Supongo que se merecía estar
en la selección.

Pero si ya habían elegido un delantero del mismo país
que yo, y de la misma ciudad que yo, y del mismo colegio
que yo... ¿cómo iban a elegirme a mí también?

Era imposible.

Bueno, no pasaba nada, vería el partido por televisión,
como todo el mundo.

Torres leyó el nombre del siguiente niño.

—De España también... Iván García.

Mi foto apareció en la pantalla de televisión.

Estos son los dos últimos nombres que dijo Torres:

—Lennart Larsson, de Suecia, y Takashi Ichikawa, de Japón.

Pero yo no los oí.

Ni mis padres tampoco.

Paula y yo dimos un grito tan grande que no se oía
nada más que a nosotros.

–¡Aaaaaaaaaaaaaaaaaaahhhhhhhhh!

Nos pusimos como locos.

Saltamos al mismo tiempo y tiramos al suelo la lámpara
favorita de mi madre, que la trajo de un viaje a Canarias.

Pero mi madre estaba tan contenta que aquello
pareció no importarle.

Ella también gritaba y reía.

Y mi padre también.

Yo todavía no me lo creía.

Me habían elegido.

Entre millones de niños.

Para jugar contra los mejores futbolistas del mundo.

Aquello era lo más increíble que me había pasado en la vida.

–¡¡¡Voy a jugar, voy a jugar, voy a jugar!!!

Paula y yo saltamos, chillamos, nos tiramos sobre el sofá pegando puñetazos y patadas al aire.

Y nos volvimos a abrazar.

Entonces Paula me miró de un modo distinto y se acercó a mí.

Yo no sabía lo que estaba pasando.

Pero algo me dijo que era algo distinto
a todo lo que me había pasado antes.

Ella se acercó más.

Y me besó en los labios.

Todo sucedió muy rápido, en apenas un segundo.

Lo voy a repetir por si alguien no se lo cree:
Paula me había besado.

En la boca.

55

En ese momento sentí:

a) que me subía toda la sangre a la cabeza;

b) que se hubiera abierto una trampilla debajo de mis pies,
    y estuviera cayendo al vacío y no hubiese fondo;

c) mucho calor.

Después del beso, Paula se separó como si nada.

Mi padre me agarró y me dio un abrazo muy fuerte.

—¡Si ya lo sabía yo que te iban a coger!

Mi padre dijo eso y se quedó tan ancho.

Pero yo estaba en otra galaxia.

Muy lejana.

Mirando a Paula.

8

Cosas importantes que te pueden pasar en la vida:

Ganar el premio Nobel.

Salvar a la humanidad.

Viajar al futuro.

Inventar algo increíble que cambie la historia.

Salir en la portada del «Marca».

Igual que Messi... y Casillas...

¡Igual que los mejores futbolistas de todos los tiempos!

También aparecían los otros niños de la selección mundial.

Yo estaba el último en la lista. Venía una foto mía pequeña, pero el caso es que ahí estaba yo.

¡En la portada del «Marca»!

No se habían equivocado de Iván.

Para salir en la portada, aunque sea en una foto pequeña, tienes que haber hecho algo muy importante, como fichar por un equipo grande, o marcar muchos goles, o haber ganado la Champions.

O el mundial.

Pensé que quizá no me lo merecía. Yo lo único que había hecho era ir a una prueba y jugar un partidillo.

Pero el caso es que me habían escogido entre millones
de niños.

El día que nos fuimos a México fue muy raro.

Por un lado, estaba muy contento.

Pero por otro lado, me daba un poco de miedo.

Además, era la primera vez que iba a viajar en avión.

Mi madre me apretó tanto al abrazarme en el aeropuerto
que creía que me iba a lesionar y que no podría jugar
el partido.

«Lesionado por un abrazo de su madre».

Ese sí que sería un buen titular para el «Marca».

Pero no podía decirle nada
porque también me había dejado sin respiración.

—Y no te olvides de comer verdura todos los días... —dijo.

—Sí, mamá.

—¡Y lávate los dientes!

No podía pasar una vez sin que lo dijera.

Cuando mi madre por fin me soltó,
me quedé a solas frente a Paula.

Del beso no habíamos vuelto a hablar.

Ella se comportaba como si no hubiera pasado nada.

Pero sí que había pasado algo.

García Corderas me había dicho
que tenía que besarla tres veces para que fuera mi novia
y no se me pasara el turno.

Pero no me había dicho nada sobre qué pasaba
si era ella la que me besaba a mí.

—Tenéis que daros otros dos besos, y entonces
ya sois novios —me dijo cuando le conté lo que había pasado.

Lo dijo muy seguro de sí mismo. Aunque no creo
que García Corderas haya besado a nadie en su vida.

Pero tiene un hermano mayor que por lo visto
sí ha besado a muchas chicas.

Allí estaba yo delante de Paula pensando en todo eso.

—Bueno, ¿a quién le vas a dedicar los goles que metas
en el partido? —preguntó ella.

Hasta ese momento, no había pensado a quién dedicaría
un gol si llegara a meterlo.

Claro que había pensado muchas veces en meter un gol.

Pero no había pensado a quién dedicárselo.

–Pues no sé...

–Iniesta se los dedica a su novia –dijo ella sonriendo.

Me apeteció decirle que se los iba a dedicar todos a ella y que le daría un beso por cada gol que metiera, pero...

–Yo no tengo. Que no tengo novia, quiero decir. Todavía. Me parece...

Me había metido en un lío. Y cada vez estaba más agobiado.

Paula sonrió.

Y yo también.

–Buena suerte...

Nos quedamos parados uno frente al otro, sin saber qué hacer ni qué decir.

Debimos pasar así unos pocos segundos, pero a mí me parecieron dos o tres horas.

–Venga, Iván, que tienes que pasar el control –nos avisó mi madre desde lejos.

Volví a mirar a Paula, que también estaba un poco incómoda.

Bueno, en realidad intenté mirarla, pero no pude.

No sé por qué, los ojos de Paula me parecían entonces todavía más azules y más grandes.

Así que eché un vistazo a mi alrededor.

Por todos lados había parejas despidiéndose y besándose.

Un señor y una señora se besaban delante de la cinta de seguridad.

Dos jóvenes se besaban apasionadamente.

Otra pareja de unos treinta años también se besaba y se abrazaba.

Incluso una pareja de ancianos se estaban dando un beso de despedida.

Y yo tenía allí delante a Paula.

Y a mi alrededor, parecía que TODO EL AEROPUERTO estaba besándose.

Tenía que hacerlo. Tenía que darle un beso.

Me acerqué poco a poco a ella.

Paula cerró los ojos...

Y en el último momento, ¡BOOM!

Alguien me dio un golpetazo tan fuerte que me tiró al suelo.

—Iván, pringao, ¡que nos vamos a México! ¡Venga, payaso!

Morenilla. Otra vez.

Y tiró de mí hacia el arco de seguridad.

Yo miré hacia atrás, a Paula.

Levanté la mano y dije:

—Adiós.

Y ella me sonrió.

9

La llegada a México fue increíble.

En el aeropuerto nos estaba esperando un montón de gente.

Los de la FIFA, los de UNICEF, los de la organización,
periodistas...

Había hasta un grupo de mariachis,
que empezaron a cantar en cuanto nos vieron.

También nos recibió mucha gente que no sé quiénes eran,
pero que no dejaban de gritar.

Había tanta gente que la policía tuvo que hacer
un cordón humano para que saliéramos del aeropuerto,
cruzáramos el aparcamiento y llegáramos al autobús.

El cámara del Canal Fútbol subió al autobús con nosotros.

El Canal Fútbol es un canal que echa fútbol a todas horas.
Te puedes levantar a las cinco de la mañana
y ver un partido entre Irán y Siria, por ejemplo.
O uno de la liga turca. Y cosas más raras todavía.

Pero también ponen los partidos buenos.

Seguramente es mi canal favorito
de todos los canales del mundo.

El Canal Fútbol había comprado los derechos
para retransmitir el partido que íbamos a jugar,
y nos hizo un seguimiento especial a las dos selecciones.

Los presentadores más conocidos del Canal Fútbol
se llaman Toribio y Gallardo.

Toribio es español, y es el que hace de locutor
en los partidos. Es bajito y delgado
y creo que es la persona que más partidos de fútbol
ha visto en el mundo porque siempre tiene algo
que decir sobre cualquier jugador.

El otro se llama Gallardo y es argentino.
Antes de ser comentarista fue portero, y la gente decía
que se había dado tantos golpes en la cabeza
que se había quedado un poco majara.

Quizá por eso a veces no se sabe si las cosas que dice
las dice en serio o se las está inventando.

—El entrenador Torres tiene solo unos días para convertir
a los niños en un grupo competitivo y enfrentarse
con la selección mundial de adultos —dijo Toribio.

—¡Y no solo enfrentarse a ellos, sino que ha prometido ganar!
Ya sabíamos que Torres estaba loco,
¡pero esto lo supera todo! —añadió Gallardo.

Cuando subí al autobús, ya estaba todo el mundo
haciéndose bromas.

Había niños de todas las razas y nacionalidades.
Todo el mundo hablaba al mismo tiempo.

Y aunque hablaban en idiomas distintos, parecían entenderse.

Por gestos, o como fuera.

Algunos ya habían hecho corrillos.

Yo iba mirando y buscando un sitio libre,
cuando sentí un empujón fuerte.

Había sido Morenilla, como de costumbre.

—Quita, pringao...

Morenilla se paró junto a Vasily, el portero ucraniano,
que era uno de los más altos del equipo.

—Hola, soy Morenilla...

Vasily le contestó que se llamaba Vasily,
y luego dijo algo en ucraniano.

—Que sí, que sí, échate para allá y déjame sitio
—respondió Morenilla mientras se sentaba.

Detrás de ellos apareció Balenko, otro niño rubio,
con un cigarro sin encender en la boca.

—¿Tener fuego? —Balenko hablaba español,
pero con un acento muy fuerte.

—Fuego dice... —respondió Morenilla.

Los tres se echaron a reír y a murmurar.
Parecía que se habían hecho amigos,
aunque cada uno hablaba en un idioma distinto.

Seguramente los supercapullos de todo el mundo
tienen un código secreto, y en cuanto se ven
se reconocen y saben que son de la misma especie.

Yo seguí avanzando por el pasillo hasta que una voz
al final del autobús me dijo:

—Aquí, aquí.

Era un niño mexicano.

—Hola, soy Hugo, como Hugo Sánchez —me dijo.

Me senté a su lado y dije:

—Yo soy Iván, como... Iván.

Hugo no paraba de hablar.

—Mis jugadores favoritos de todos los tiempos,
por este orden, son: Hugo Sánchez, Maradona, Zidane,
Iniesta y Messi, ¿qué te parece? Sería un equipo increíble
si pudieran jugar juntos, ¿eh? —dijo casi sin respirar.

—Sí, sí, sería increíble... —dije.

Él siguió hablando, pero no me acuerdo de lo que dijo.

Miré a Hugo.

Y después eché otro vistazo a todos mis compañeros.

Era el equipo más extraño que había visto nunca.
Y era mi equipo.

10

Estaba en un hotel, en México D.F.

Iba a jugar un partido de fútbol contra los mejores
del mundo, a miles de kilómetros de mi casa,
y todo era muy emocionante.

Pero yo solo podía pensar en una cosa.

–¿Puedo besarte otra vez? –preguntó Paula.

–Si te apetece mucho –respondí yo.

Paula se acercó para besarme.

Y yo también me acerqué.

Y justo en ese instante...

Se abrió la puerta de golpe y apareció Hugo,
mi compañero de habitación.

Y la imagen de Paula en el espejo desapareció de golpe.

Y yo estaba ahí en medio, solo en mitad de la habitación,
con cara de tonto.

–¿Qué haces? –me preguntó Hugo.

–Yo, nada –respondí.

–¿Estabas besando al espejo?

–¿Cómo voy a besar al espejo?

Hugo estaba muy nervioso y movía mucho los brazos.

–¿No oíste el aviso? ¡Que llegamos tarde al entreno!

Yo tenía los cascos del iPod puestos y no había oído nada.
Además, como estaba pensando en Paula,
se me había olvidado también el entrenamiento.

Salí corriendo hacia la puerta.

—Pues yo creo que estabas besando al espejo
—insistió Hugo mientras salíamos.

—No digas tonterías —dije yo.

Eché una última mirada al espejo.
Y cerré la puerta de la habitación.

Si había una norma sagrada en el equipo es que siempre,
siempre, siempre había que ser puntuales.

Había que llegar a tiempo a la comida, o no comías.

Y si no llegabas a tiempo al entrenamiento...

A correr.

Ese día, Torres daba instrucciones al equipo
en el centro del campo.

Frigo y Galetti, a su izquierda y a su derecha,
le escuchaban y asentían.

—Tres cosas tengo que deciros —dijo Torres—.
La primera: esto no es el colegio. Vamos a jugar al fútbol
contra adultos, contra futbolistas profesionales.

Torres miró a todos muy serio, como si fuera el comandante
en jefe y los niños fuésemos su pequeño ejército.

—La segunda: puede que los contrarios sean más grandes
y más rápidos que vosotros, lo cual no es difícil.
Pero no se trata de llevarlos a hombros, sino de jugar
al fútbol. Por muy grande que sea cualquier jugador,
el balón es igual para todos.

Todos le miraban con los ojos muy abiertos.

—Y la tercera y más importante: ¡el balón arde, arde, arde!
Hay que soltarlo rápido, para no quemarse los pies...
¡No se puede perder tiempo, el que tenga el balón
más de tres segundos se quema! ¿Estamos?

Cuando Torres terminó de decir esto, Hugo y yo
llegamos a su altura.

Eso era lo que pasaba cuando llegabas tarde a entrenar.

Te ponían a dar vueltas al campo corriendo.
Y vueltas y vueltas y vueltas.

Y más vueltas.

Galletti se giró hacia nosotros y nos hizo un gesto.

–Vosotros dos, ¿qué miráis?
Al entreno no se llega tarde. Seguid corriendo.

A Hugo y a mí no nos quedó más remedio
que resoplar... y seguir dando vueltas.

Frigo dijo que si dábamos mil vueltas al campo
seríamos titulares.

El gordo se parecía a mi padre en que a veces le gustaba
hacer unas bromas que solo le hacían gracia a él.

–¿Cuántas llevamos? ¿Cien? –le pregunté a Hugo.

–Una... y media –me respondió él.

Y todavía fue peor cuando vimos que los demás
se dividían en dos equipos y empezaban un partidillo.

Frigo les estaba metiendo prisa.

–Vamos... vamos... que es para hoy. ¿Ya estáis cansados
antes de empezar...? Los del peto colorado en un equipo...
y los del peto azul en el otro...

–¡Un momento, por favor! –le interrumpió una voz de chica.

Una chica joven y muy guapa había entrado en el campo.

–¿Busca a alguien, señorita? –le preguntó Galletti.

Torres la miró de reojo mientras la chica enseñaba
sus credenciales.

Frigo y Galletti la miraron de arriba abajo.

La verdad es que la chica era muy guapa.

—Me llamo Amalia Padilla, pero todos me llaman Ami.
Traductora y enlace de la FIFA. Un placer.

—Cullen nos manda una babysitter —dijo Frigo.

—ENLACE de la FIFA —protestó Ami.

—Procure estorbar lo menos posible, señorita
—respondió Torres.

Intentaban intimidarla, como cuando el equipo rival se pone
a pegar patadas en los primeros minutos de un partido.

Pero Ami no parecía de las que se dejan asustar.

Enseguida se volvió hacia nosotros y empezó a hablar.

Nos saludó en varios idiomas: en inglés, en francés,
en portugués...

Nos dijo que era la traductora del equipo
y que si necesitábamos algo no teníamos más que decírselo.

Mientras ella hablaba, todos la mirábamos con atención.

Torres también, sin que ella se diera cuenta.

Me parece que ya lo he dicho, pero lo voy a repetir:
Ami era muy, muy guapa.

No tanto como Paula, pero muy guapa de todos modos.

Y además era la única chica allí.

Torres siguió mirándola mientras ella hablaba...

Al terminar el entrenamiento, el campo se llenó
de cámaras de televisión y de fotógrafos.

En México había un montón de periodistas,
y en todos los países del mundo salían reportajes
sobre el equipo de los niños.

El entrenador Torres desapareció
en cuanto se acercaron los periodistas.

El gordo Frigo decía que los periodistas le daban alergia,
y que si estaba muy cerca de alguno de ellos,
le picaba todo el cuerpo y no podía dejar de rascarse.

Un periodista se acercó a Clairac y a mí
y nos dijo que nos quería entrevistar.

Clairac era el capitán del equipo. Era el mayor de todos,
cumpliría 13 años en agosto.

Y yo era el más pequeño. Estaba a punto de cumplir 11.

Mientras el periodista hablaba, Morenilla andaba por allí,
mirándonos con mala cara. A lo mejor no le hacía
mucha gracia que los periodistas me entrevistaran a mí.

Clairac dijo algo sobre la responsabilidad y el orgullo
de representar a los niños de todo el mundo y bla, bla, bla...

Aunque era un niño, Clairac a veces parecía que hablaba
como los políticos importantes, que dicen un montón
de palabras y nunca sabes lo que han querido decir.

Al final, como el periodista veía que yo no decía nada,
me miró y me preguntó en qué puesto jugaba yo.

—De delantero centro, aunque también puedo jugar
de media punta... o de lo que me manden.

—Muy bien.

Entonces me hizo una pregunta que nunca me tendría
que haber hecho.

Me preguntó que si yo metiera un gol en el partido,
a quién se lo dedicaría.

—¿A quién se lo dedicarías?

Yo podría haber dicho muchas cosas.

Si yo fuera Clairac a lo mejor habría dicho
que se lo dedicaría a los niños de Grissau.

O a todos los niños del mundo a los que les gustaría
estar en México y que no habían podido ir.

Pero en lugar de eso dije:

—Se lo dedicaría a Paula.

Nada más terminar la frase, supe que no debía haberla dicho.

El periodista sonrió y enseguida empezó a preguntar
más cosas, todo muy rápido:

—¿Quién es Paula, tu novia? ¿Tan pequeño y ya tienes novia?

—No, no, no... es... Bueno, es... una niña... es... mi vecina...
y le gusta mucho el fútbol —respondí yo enseguida.

Pero ya daba igual. Él siguió riéndose.

Noté que Morenilla me miraba fijamente.

—Pero no es mi novia, eh...

Yo me puse muy rojo.

Pensé en la cara de Paula cuando me escuchase.

Y en la de mis padres.

Y en la de todos los niños y niñas del colegio.

Ya estaba escuchando los gritos y las risas y los comentarios:
«Iván y Paula son novios, Iván y Paula son novios».

Y en ese momento pensé que solo tenía dos soluciones.

Una, que la entrevista solo se emitiese en México
y que no la viese nadie que yo conozco de mi colegio
ni de mis amigos, y que nadie la colgase en YouTube
ni en Tuenti ni en ningún sitio.

Dos, no volver nunca más a España
y hacerme un niño vagabundo que iría recorriendo el mundo
con un nombre falso para que nadie me reconociese.

La solución número uno parecía más sencilla.

Pero nada más terminar la entrevista,
le pregunté al periodista si lo que había grabado
era para un canal de México.

Él, mientras recogía sus cosas, me dijo que no.

Que era para el Canal Fútbol. Y que luego las imágenes
se enviaban a todas las televisiones del mundo.

Y lo dijo como si tal cosa.

A todas las televisiones del mundo.

Así que ya podía ir pensando en cambiarme de nombre
y largarme por ahí a recorrer el mundo
para que nadie me reconociese.

Cuando terminamos, Clairac me preguntó:

—Qui est Paula? Ton amour secret?

Que quiere decir:

—¿Quién es Paula? ¿Tu amor secreto?

Pensé que no iba a tener que esperar mucho
para que empezara el cachondeo.

Pero lo que pasó fue una cosa completamente distinta.

11

Esa noche, Hugo y yo y otros del equipo estábamos echando
una partida en la sala de las máquinas recreativas.

Hugo era el que peor jugaba a cualquier videojuego.

Pero no se lo podías decir porque se enfadaba mucho.

Había otros seis o siete del equipo
jugando a otras máquinas, al billar y al ping-pong.

De repente, entró Morenilla con gesto muy serio.
Vasily y Balenko iban detrás de él,
como si fueran sus guardaespaldas.

Se plantaron delante de mí y Morenilla me dijo
que tenía que hablar conmigo.

—Tengo que hablar contigo —dijo.

Balenko hizo un gesto a los demás.

Y todo el mundo salió pitando.

Parecía que estuviéramos en una peli del Oeste
de las que ve mi padre después de comer, en verano.

Yo me quedé donde estaba, de espaldas a mi máquina.

Y Morenilla, delante de mí.

Hugo había desaparecido de repente.

—No he entendido lo que has dicho en la entrevista
—dijo Morenilla.

Me encogí de hombros. No sabía qué decirle, la verdad.

—He venido a decirte que tu vecina Paula y yo
estamos saliendo. O sea, que somos novios.

Me dejó helado, sin saber qué decir.

Bueno, sí que se me ocurrieron miles de cosas que decirle.

Pero solo respondí:

—Pues me alegro.

Morenilla siguió hablando.

—Me da igual que te alegres o no. Solo quería decírtelo.
Así que cuidadito.

Y se marchó hacia la puerta. Pero en el último segundo,
se paró y se dio la vuelta.

—Ah, y el gordo Frigo ya me ha dicho
que soy titular para el partido de mañana.

—Yo también titular —añadió Balenko con una sonrisilla.

Le miré aguantándome la rabia.

En cuanto se marcharon, Hugo apareció de pronto.
Estaba escondido detrás de la máquina.

—Jooo, perdí tres vidas.

Yo seguía allí parado, con cara de tonto.

Pensando muchas cosas al mismo tiempo.

Mi madre siempre dice que en el mundo
hay muchas injusticias.

Pero esto de Morenilla era la mayor injusticia
de la historia de las injusticias.

Por lo menos, que yo hubiera visto con mis propios ojos.

Morenilla era el supercapullo más grande de todos los tiempos.

Que yo supiera, no le caía bien a nadie.

Era un chulo, y se creía que podía ir por ahí
haciendo lo que le diera la gana.

Y ahora resultaba que se había hecho novio de Paula.

Y además iba a jugar de titular
en el partido de entrenamiento.

–¿¡Cómo va a ser su novia!? ¡Paula no me ha dicho nada!
¡¡¡Siempre nos hemos reído de él,
y además es un supercapullo, es imposible!!!

Hugo me escuchaba sin perder ojo a la máquina.

–Pero ¿Paula es tu vieja o no? ¿Te gusta?

–No, no, no me gusta... Solo somos amigos...

Hugo me echó una mirada como diciendo: «No me lo trago».

Así que cinco minutos más tarde hice lo único
que podía hacer.

Llamar por teléfono a Paula.

—Te hemos visto en la tele y todo el mundo pregunta
por ti. ¿Vas a ser titular mañana? —me preguntó Paula.

—No sé; además, es solo un partido de entrenamiento
—respondí yo.

—Ya, ya, ¿pero no te ha dicho nada Torres? —insistió ella.

—Torres no habla mucho, la verdad...

Yo la había llamado para otra cosa,
pero no sabía cómo sacar el tema.

Hugo me hizo señas metiéndome prisa.

—Pregunta si Morenilla es su chavo...

Yo tapé el teléfono y le hice gestos para que se callase.
Y después seguí hablando.

—Oye, Paula, quería preguntarte una cosa.

—¿Del partido de mañana?

—No, no, es una cosa que no es de fútbol.

Se me estaba haciendo cada vez más difícil.
Me daba miedo preguntarle si estaba con Morenilla
y que ella me dijera que sí.

Porque entonces puede que me entraran ganas de meterme
en la cama y no salir hasta después del partido.

Tomé fuerzas y me preparé para la gran pregunta.

Pero entonces Paula me interrumpió otra vez.

—Perdona, es que me entra otra llamada,
espera un segundito...

Me dejó con el teléfono en la mano
y la palabra en la boca. Hugo me miró desde su cama.

—¿Qué pasa? —preguntó.

—Que le ha entrado otra llamada y estoy esperando
—le respondí yo.

—Tú le echas un fon desde México, y ella te deja
en modo espera —dijo arrugando el gesto.

—Tampoco es para tanto.

—A eso aquí le llamamos ser un mandilón —siguió Hugo.

—¿Qué es eso?

—Pues que la wera esa te tiene achicopalado.

–¿Qué?

Después de pensárselo un rato,
Hugo por fin dio con la palabra.

–Calzonazos. Eres un calzonazos.
Seguro que está hablando con Morenilla por otra línea...

–No creo –dije yo, pero empezando a pensar
que a lo mejor sí.

–Si Morenilla le echa un fon, ella no le deja en espera
–insistió Hugo.

Yo me iba calentando. Me quedé mirando al auricular
como si de repente Paula fuera a salir de allí o algo.

Y Hugo seguía a lo suyo.

–Necesitas más carácter, guey.

Entonces Paula activó de nuevo la llamada.

–Perdona, ¿qué era eso que me querías preguntar?

Debía haberlo hecho. Preguntárselo y ya está.

Pero lo que dije fue lo siguiente:

–Nada, pero para que te enteres,
¡yo no soy un mandilón! Adiós.

Y colgué el teléfono.

Hugo se me quedó mirando, asombrado.

—Le has colgado —dijo muy lentamente.

—¡Sí! —yo seguía furioso.

Hugo se me quedó mirando otra vez, más serio.

—Eres un mandilón y, además, un tonto sin chava.

—¡Paula no es mi novia, a ver si te enteras de una vez! ¡Y además, le he colgado por tu culpa!

—Yo no he dicho que colgases —dijo él.

—¡Pero has empezado con eso de Morenilla y mandilón, y me has puesto nervioso!

Hugo movió la cabeza.

—Qué raros sois los gachupines. En México nunca le colgamos el teléfono a la novia.

—¡Que no es mi novia! ¡Es mi vecina!

Y me fui de la habitación dando un portazo.

Y pensando que Hugo llevaba razón.

Era un tonto sin chava.

Y además iba a sentarme en el banquillo de los suplentes.

12

Toribio y Gallardo estaban como locos. Hablaban a cámara muy cerca el uno del otro, mucho más cerca de lo normal.

—¡Hoy se verá de qué es capaz la selección mundial de pibes! Por primera vez van a jugar contra un equipo de adultos, el Matusén F.C., de la segunda división mexicana —dijo Toribio.

—Un partido amistoso sin cámaras, sin público... ¡Esperemos que por lo menos les den una bola! Pero no se preocupen, porque nosotros se lo contaremos aquí en directo, en Canal Fút—booooool —siguió Gallardo.

El Matusén estaba en la segunda división mexicana. Tenía un campo de barrio, no un estadio ni nada por el estilo.

Y Torres había prohibido que nadie entrara.

Dijo que era un entrenamiento a puerta cerrada.

Pero Toribio y Gallardo habían conseguido un «emplazamiento estratégico» para retransmitir el partido.

O sea, el balcón de una terraza.

Así que los dos estaban con unos prismáticos, en la terraza de uno de los edificios frente al campo.

La dueña de la casa, una señora mexicana muy amable, les llevaba antojitos y tragos de vez en cuando.

—Desde nuestra posición solo podemos ver una parte
del campo —dijo Toribio.

Y era verdad.

Una cubierta de la grada solo les dejaba ver
la mitad del campo, y tapaba la otra mitad.

—Torres nos aguó la mitad de la fiesta,
pero que no cunda la alarma: les vamos a contar
la mitad del partido, y la otra mitad... ¡nos la imaginamos!

Así eran Toribio y Gallardo, y por eso tienen tanto éxito.

El entrenador del Matusén
era un viejo amigo de Torres: Carmona.

Todo el mundo le conocía como Capitán Carmona,
porque llevaba siempre una gorra de capitán de barco.

Yo me senté en el banquillo, al lado de Hugo.

Frigo se volvió hacia mí.

—Tranquilo, pibe. Maradona también empezó
siendo suplente —me dijo.

Los niños hacíamos el saque inicial.

Kankwamba y Morenilla estaban junto al balón.

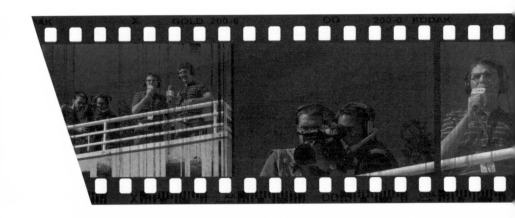

Todos sabíamos que era un entrenamiento
y que no era un partido de verdad.

Pero estábamos igual de nerviosos. Era la primera vez
que íbamos a jugar contra jugadores adultos.

En cuanto sonó el silbato, Morenilla tocó en corto
a Kankwamba... y este echó a correr como una bala
hacia la portería del Matusén.

Kankwamba corrió y corrió, regateó a uno, a otro...

Era increíble verle jugar.

En la terraza, Gallardo estaba emocionadísimo.

–¡Allá va Kankwamba, qué fenómeno, qué crack!
¡Se va de uno, se va de dos, se va de tres...!
¡Ese pibe es una bomba...!

De repente, un defensa empujó a Kankwamba
y le quitó el balón.

El empujón fue tan fuerte que le tiró al suelo.

Todos los del banquillo nos levantamos a protestar.

–¡¡¡Foul... falta, árbitro, cegato!!! –dijo Frigo.

Pero el árbitro hizo con las manos un gesto de dejar seguir.

El Matusén entró con el balón controlado en nuestro campo...

–El Matusén ataca y... sigue atacando... ¿Qué pasa?
¿Qué...? –se quedó preguntándose Gallardo.

Y a partir de ahí, ni Toribio ni Gallardo
pudieron ver nada más desde la terraza.

La cubierta tapaba esa parte del campo.

No sabían lo que había pasado.

Pero lo que pasó fue muy sencillo.

Gol.

Acabábamos de empezar, y ya nos habían metido un gol.

Los jugadores del Matusén volvieron a entrar en su campo
muy contentos mientras alguien ponía un 1 en el marcador.

MATUSÉN 1 – SELECCIÓN INFANTIL 0

–Gol del Matusén –dijo Toribio.

–¿Gol?

–Lo pone en el marcador, Gallardo. Ha sido un gol...
de un jugador del Matusén. Uno a cero.

No voy a mentir.

Aquel partido no jugamos bien.

Es más, aquel partido jugamos fatal.

Es más, fue un verdadero desastre.

Desde la terraza, Toribio y Gallardo escuchaban aplausos
de vez en cuando, voces... y no se enteraban de casi nada.

Gallardo ya ni miraba al campo. Se inventaba las jugadas
mientras hacía ojitos con la señora del piso.

Y Toribio le miraba asombrado por el morro
que le estaba echando.

El Matusén jugó en serio. Estaba claro que no querían ser
«el equipo que perdió con unos niños».

Así que iban a por nosotros una y otra vez, con fuerza.

Pronto nos metieron el segundo.

Y el tercero.

Cuando Ichikawa y yo saltamos al césped,
ya íbamos perdiendo por cuatro a cero.

Ichikawa es japonés y corría como una liebre,
y se escapaba siempre de los defensas.

Pero con eso no era suficiente.

Daba igual quién saliera. Nos siguieron mareando.

Yo perdí un balón en el centro del campo, y acabó en gol.

Ya íbamos 5–0.

Una manita.

Menudo palizón nos estaban dando.

Y solo era un equipo de segunda división.
Cuando vinieran a jugar las estrellas, nos iban a meter
la paliza del siglo.

Pero lo peor no fue eso.

Lo peor no fueron los cinco goles que nos metieron.

Ni que se rieran de nosotros.

Lo peor de todo fue lo que le pasó a Kankwamba.

Cuando el partido estaba a punto de acabar.

Kankwamba entró en el campo del Matusén llevando el balón.

Me lo pasó a mí, y le hice una pared.

Después siguió solo, y le hizo una bicicleta triple
a un defensa. ¡Increíble regate!

Gallardo se emocionó muchísimo al verlo.

–¡Qué maravilla este chico, Kankwamba!
Va a ser una figura, este pibe. Kankwamba continúa,
continúa...

Todo el mundo en el campo estaba de pie aplaudiendo.

Pero al defensa no le hizo ninguna gracia.

Miró a Kankwamba con cara de pocos amigos y como diciendo:
«Pero si solo eres un crío, qué te has creído».

Kankwamba parecía que iba muy concentrado,
y yo al verle pensé: «Lo mismo metemos un gol y todo».

Kankwamba, sin pensárselo más,
ya se preparaba para disparar a puerta.

Pero entonces ocurrió.

Y ocurrió como ocurren las cosas malas.

En menos de un segundo.

Cuando menos te lo esperas.

De pronto, el defensa del Matusén apareció por detrás.

Y le hizo una entrada salvaje.

Todos nos quedamos mudos.

Kankwamba salió volando por los aires.

Cayó al suelo y se quedó allí, revolcándose de dolor.

En todo el campo solo se le oía a él.

Muchas veces vemos a los futbolistas simular lesiones
para que les saquen tarjeta a los rivales.

Pero los que jugamos al fútbol sabemos
cuándo alguien se ha hecho daño de verdad.

Y esta era una de esas veces.

La entrada fue tan dura que incluso desde la terraza
la vieron con claridad.

—¡Ha sido una entrada salvaje!
¡El número cuatro se ha desentendido completamente
del jugador! —dijo Toribio.

—¡Y esto sí lo hemos visto, señores y señoras,
esto sí que lo hemos visto! ¿Lo hemos visto
o no lo hemos visto, Toribio? —continuó Gallardo.

—Que sí, hombre, que sí...

Ami y Frigo salieron a atender a Kankwamba,
que estaba llorando de dolor.

Frigo miró a Torres, muy preocupado, y pidió una camilla.

Carmona se acercó a Torres para pedirle perdón.
También parecía muy afectado. Se tocaba el bigote,
muy nervioso, y no paraba de decir: «Qué barbaridad,
qué barbaridad».

Yo estaba allí cerca de Frigo y Kankwamba.

Sin saber qué hacer.

Viendo cómo sacaban al pobre Kankwamba en una camilla.

13

Como su propio nombre indica, el comité de sabios
es un grupo de personas muy sabias.

Estaba formado por Anna Redkapp, Thomas Berger
y Andrea Park Jong. Eran tres abogados muy importantes
especializados en fútbol y en derecho internacional
y en no sé cuántas cosas.

Ante la alarma social creada, la FIFA convocó a su comité
de sabios para tomar una decisión.

La lesión de Kankwamba era muy grave.

Y enseguida salieron entrenadores, dirigentes y un montón
de personas diciendo que el partido entre las estrellas
y los niños era un disparate. Y que no se debía celebrar.
Y que una cosa era un partido benéfico, y otra reírse
del fútbol.

Y que la integridad física de los niños corría peligro.

Y muchas más cosas que ahora no recuerdo.

Así que el comité de sabios se reunió para decidir
si jugábamos o no.

Después de todo lo que había ocurrido, ahora resultaba
que nos podían mandar a casa de vuelta sin jugar ni nada.

Era muy temprano. Estaba amaneciendo.

El campo estaba listo para entrenar,
pero no había nadie para entrenar.

Bueno, sí que había alguien.

Alguien más aparte de mí, quiero decir.

Sentado en la grada estaba el entrenador Torres.

Allí solo.

Lo primero que pensé nada más verle fue en dar media vuelta y volver al hotel.

Yo me había levantado muy pronto porque no podía dormir, y la cabeza me daba vueltas y vueltas.

Pensé que, al fin y al cabo, a lo mejor era la última vez que veía al entrenador Torres en toda mi vida. Si suspendían el partido, no tendría muchas más oportunidades de sentarme junto a él.

Ya he dicho que el entrenador Torres tiene mucho carácter y no habla mucho.

Subí a la grada y me senté a su lado.

Él me miró de reojo como diciendo: «¿Qué haces aquí?».

Pero no dijo nada.

Nos pasamos los dos allí callados un buen rato.

Así que la situación empezaba a ser un poco rara.

Yo no sabía qué hacer.

Y entonces me dije a mí mismo: «Ya está bien».

Y me propuse contar hasta cien. Después, me marcharía.

Empecé a contar, pero no a contar en voz alta,
sino a contar para adentro.

«Uno, dos, tres, cuatro, cinco, seis, siete, ocho, nueve, diez,
once, doce, trece, catorce, quince, dieciséis, diecisiete...».

Y cuando llegué a dieciocho, ocurrió.

Lo prometo.

Seguramente fuera una casualidad, pero ocurrió cuando llegué
a dieciocho, que era el número que yo llevaba en la selección.

El entrenador Torres abrió la boca y dijo:

—Bueno, ¿vas a decir algo, o qué?

Yo le dije lo primero que se me pasó por la cabeza.

—¿Es verdad que tu mujer te dejó por Cassari?

El entrenador Torres se rio,
y yo creo que era la primera vez que le veía reírse.

—¿A qué viene eso ahora?

Pues venía a que yo estaba en una situación parecida
a la suya.

Paula no era mi novia exactamente.

Y quizá Morenilla me había mentido.

Y ni siquiera sabía seguro si Paula me gustaba
o era solo mi vecina.

Pero pensé que quizá Torres me podía dar algún consejo
sobre las chicas.

–¿Pero es verdad o no? –insistí.

Torres se lo pensó. Y después de unos segundos,
por fin respondió.

–Es mi ex, no mi mujer. Y sí, se largó con ese pendejo.

–Yo no quiero casarme nunca jamás,
las chicas son muy raras –seguí yo.

–Cuando te hagas mayor, a lo mejor te gustan, ya lo verás.

–Pero cuando te haces mayor, ¿las entiendes mejor?

Torres se lo pensó un buen rato.

Y después se encogió de hombros.

–No.

Pues vaya birria de consejo, pensé yo.
¿Para eso servían los mayores?

Decidí que quizá era mejor cambiar de tema.

—¿Nos van a mandar a casa sin jugar el partido?

—No lo sé. ¿Tú qué crees? —me preguntó él.

—Yo creo que Kankwamba se ha lesionado por ser jugador de fútbol, no por ser un niño —dije muy convencido.

Torres se quedó callado unos segundos.

Me miró.

Y después se levantó como si hubiera tomado una decisión muy importante.

14

Al día siguiente, Torres hizo tres cosas muy importantes.

Bueno, seguramente hizo más, pero que yo sepa hizo tres.

La primera fue reunir a los periodistas
y a todos los niños del equipo en el vestíbulo del hotel.

Y dijo esto:

—Primero, mis jugadores y yo hemos decidido jugar el partido
contra la selección mundial. Da igual lo que opinen los demás.
Vamos a jugar. Y vamos a ganar. Segundo, se le ha faltado
al respeto a este grupo de niños, y al espíritu de solidaridad
que impulsó la creación de este equipo. Y tercero,
si perdemos el partido, me retiraré para siempre
como entrenador. ¿Me explico? Para siempre. Buenos días.

A continuación, dio media vuelta y se marchó.

Los periodistas empezaron a hacer preguntas sin parar:
¿Y si el comité de sabios suspende el partido?
¿Va a desafiar a la FIFA? ¿Es verdad que se retira
como entrenador? ¿Qué está pasando, Torres?

Pero Torres los dejó con la palabra en la boca
y no dijo nada más.

La segunda cosa que hizo fue ponernos a entrenar.

Eso puede parecer normal. Pero lo que no es normal
es lo que hizo durante el entrenamiento.

Que fue la tercera cosa que Torres hizo aquel día.

Atarnos con cuerdas.

Sí, como suena. Nos ató con cuerdas. Pasó así:

Llevábamos un buen rato entrenando.
Era tarde y estábamos cansados.

Entonces llegaron Frigo y Galletti, muy sonrientes.

Aunque yo pensaba que no tenían ningún motivo
para estar contentos.

Galletti llevaba un saco muy grande. Lo dejó junto a Torres.

Entonces el entrenador nos habló a todos.

—Dentro de ese saco hay algo mucho más importante
que todas las jugadas que habéis ensayado y los vídeos
que hemos visto. Más importante que cualquier entrenamiento.

100 Abrió el saco...

Y sacó una cuerda blanca, aunque estaba tan descolorida
en algunas partes que parecía marrón.

Era una cuerda muy larga.

—¿Una cuerda? —preguntó Morenilla frunciendo el morro.

—No señor. No es una cuerda. Son «dos cuerdas»
—respondió Torres.

Torres, efectivamente, sacó dos cuerdas de la bolsa.
Las dos igual de viejas y de blancas. Y de desgastadas.

Todos le mirábamos sorprendidos,
esperando saber qué iba a hacer con ellas.

Torres se puso muy serio.
Y se dirigió a todos nosotros de nuevo.

—En el partido contra el Matusén no jugasteis
como un equipo, sino como once jugadores.
Y así es imposible ganar un partido de fútbol,
aunque seas el mejor jugador del mundo,
tengáis diez años o treinta... De modo que ahora
vais a aprender la lección más importante:
a jugar en equipo, aunque para ello tengáis que ir atados.

Torres no hablaba en broma.

Lo decía totalmente en serio.

Mientras Torres hablaba, Frigo nos iba atando por la cintura.

Primero me ató a mí con fuerza. Dejó una separación
de tres metros, y la ató a la cintura de Hugo.

Y después, a Clairac.

Al mismo tiempo, Galletti iba atando a otros miembros
del equipo con la segunda cuerda blanca.

Al cabo de un rato, todos estábamos atados por cuerdas.

Once con una cuerda.

Y los otros once con otra.

Y todos atados con la cuerda,
nos pusimos a jugar un partidillo.

Jugar al fútbol atado con una cuerda al resto
de los jugadores de tu equipo no es muy fácil que se diga.

Solo diré una cosa: te caes.

Te caes todo el tiempo.

Porque a lo mejor uno corre hacia delante y otro
corre hacia atrás. O llevas una velocidad distinta.
O simplemente no ves dónde está tu compañero.

Al principio fue un desastre total.

Cuando echabas a correr y tu compañero se quedaba parado,
la cuerda se tensaba, y los dos al suelo.

Hugo se pasó más tiempo en el suelo que de pie.

Beck se pegó una buena costalada cuando saltó
a por un balón y Gutiérrez no saltó con él.

A casi todos les pasó algo parecido.

Así seguimos un buen rato.

Con más golpes, y caídas, y saltos...

La única solución era fijarte mucho
en lo que hacían los demás.

Yo creo que eso era lo que quería el entrenador Torres.

Que jugáramos todos a la vez, pensando en los demás,
no solo en nosotros mismos.

Que jugáramos unidos.

Aunque fuera unidos por una cuerda.

Después de varios intentos, ya empezamos a movernos
un poco más ordenados.

Cada vez había menos tirones, caídas y golpes.

Los tres entrenadores se daban cuenta,
y nos animaban desde la banda.

Al final del partidillo, los dos equipos nos movíamos
casi al mismo tiempo.

La línea de cuatro de la defensa avanzaba hacia delante
y hacia atrás a la vez.

Cuando uno subía al ataque, todos subíamos.

Y cuando había que bajar a defender, todos defendíamos.

No te quedaba más remedio que moverte al mismo tiempo
que todos los demás si no querías caerte
y que te arrastraran como un saco de patatas.

Parecíamos dos equipos de verdad.

Y hasta hicimos un jugadón y Morenilla remató de cabeza a gol.

Y todo, atados con una cuerda.

Frigo y Galletti aplaudieron mientras Vasily
recogía el balón de la red.

Los ayudantes miraron a Torres,
al que se le escapó una sonrisa.

Cuando Frigo pitó el final del partido,
empecé a desatarme la cuerda.

Pero el gordo me tocó el hombro con la mano.

–¿Qué te crees que estás haciendo?
Nadie ha dicho que os podáis desatar.

Pero si ya habíamos terminado el partido,
¿para qué seguir atados con la cuerda?

Miramos a Torres pidiendo una explicación.

Pero lo que dijo Torres nos dejó a cuadros.

—Acabamos de empezar. Vais a pasar veinticuatro horas atados por la cuerda.

¿¿¿Veinticuatro horas???

Yo pensaba que lo de las veinticuatro horas
era una forma de hablar.

Pero no era una forma de hablar.

Cuando decía veinticuatro horas,
quería decir veinticuatro horas.

Si alguien tenía que llamar por teléfono, con la cuerda.

Si alguien quería ir al baño, con la cuerda.

Si alguien simplemente quería dar un paseo, con la cuerda.

Todos juntos.

Como no podíamos desatarnos, acabamos durmiendo todos
en colchonetas en el gimnasio.

105

Pero aquella noche tardamos mucho en dormirnos.

Porque en cuanto se apagó la luz, empezó la guerra.

15

Torres tomaba notas en el despacho de los entrenadores.

Al fondo, el gordo Frigo revisaba un vídeo.

Y Galletti leía el libro de Cassari: «El fútbol y la vida».

Germán Cassari, además de entrenador, también era
una especie de filósofo del fútbol. Y había escrito un libro
muy famoso, que le regaló a Torres cuando se anunció
que iban a ser rivales en un partido con niños.

Torres, por supuesto, ni siquiera lo abrió.

Pero Galletti le echaba un ojo de vez en cuando,
«para conocer mejor a nuestro rival», según explicaba.

—Escuchad lo que dice: «A veces se hace duro
llevar siempre la razón en todo».

Torres le miró como preguntándole «¿qué haces
leyendo eso?», y Galletti se encogió de hombros.

—Busco puntos débiles —se limitó a decir.

En ese momento, se abrió la puerta y apareció Ami
con cara de pocos amigos.

—¿Niños atados con cuerdas? ¡Protesto enérgicamente!

—Señorita, esta es una zona solo para el equipo técnico...
Además, tengo mucho trabajo ahora mismo —respondió Torres.

Pero Ami volvió a la carga.

—Yo también formo parte del equipo técnico. Insisto:
no se puede atar a los niños como si fueran vacas.
Es inhumano, es humillante, va contra los derechos del niño...

—Esto no es un campamento de verano,
es un equipo de fútbol —aclaró Torres.

—Sí, pero no estamos en el ejército —insistió Ami.

—Como si lo fuera —Torres empezaba a perder la paciencia.

—Le voy a denunciar a la FIFA.

—¡Amalia Padilla!

—¡Gonzalo Alejandro Torres!

Se quedaron mirando el uno al otro muy fijamente.

Parecía que se iban a decir algo muy feo.

Y entonces Torres dijo algo que nadie se esperaba.

Se acercó mucho a ella y dijo:

—¿Quieres cenar conmigo?

Ami se quedó paralizada.

Y dijo:

—Vete al carajo.

Después se marchó caminando muy rápido. Y Torres sonrió.

Si estaba ligando con ella, la verdad es que tenía
una manera bastante extraña de hacerlo.

—Tiene carácter —le dijo Torres a sus ayudantes.

—Ya se nota —dijo Frigo.

Entonces todos oyeron un ruido fuerte.

Y salieron corriendo del despacho.

El ruido venía del gimnasio.

Que es donde estábamos nosotros.

Esto es lo que pasó:

En cuanto se apagaron las luces,
Hugo me dio un toquecito en el hombro.

—Iván —susurró.

Yo me hice el dormido, así que Hugo volvió a tocarme.

—Iván...

—¿Qué?

—Tengo que hacer del uno.

Hacer del uno es hacer pis.

Hugo tenía esa costumbre. No podía ir al servicio
justo antes de meterse en la cama, como todo el mundo. No.

Hugo se metía en la cama,
y luego tenía que levantarse para ir al servicio.

A hacer del uno, que es como lo llaman los mexicanos.

—Te aguantas, que vamos a tener que despertar a todos
—le respondí yo.

Yo sabía que eso iba a ser imposible.
Hugo nunca se aguantaba.

Pasaron unos segundos.

—Iván...

—¿QUÉ?

—Que no puedo aguantarme.

Así que no quedó más remedio que despertar a los otros,
y nos fuimos todos al baño.

Hugo entró el primero en el baño y dijo:

—No miren, por favor, que si hay gente mirando no puedo...

Bastó que dijera eso para que todos le abuchearan
y se le quedaran mirando muy fijamente.

Hugo se quejó, pero nadie le hizo caso.

Entonces un par de almohadas empezaron a pasar
de mano en mano, hasta que llegaron al final de la fila.

Justo cuando Hugo ya se había tranquilizado,
recibió un almohadazo.

En la cabeza.

De repente aparecieron más almohadas.
Parecía que hubiera un ejército de almohadas.

Y empezó la guerra.

Lo de la guerra de almohadas es algo que ya habíamos hecho
alguna vez, pero en el pasillo del hotel,
que estaba lejos del despacho de los entrenadores.
Por eso no nos habían pillado todavía.

Pero el gimnasio sí que estaba cerca. Y nos oyeron.

La puerta de los servicios se abrió de golpe
y aparecieron Frigo y Galletti.

Y allí estábamos todos.

Dándonos almohadazos unos a otros. Gritando. Riendo.
Haciendo el animal.

Era una auténtica guerra de almohadas.

—Bueno, ya que no tenéis sueño, por lo menos
vamos a aprovechar el tiempo —dijo el gordo Frigo.

Volvimos todos al gimnasio.

Pero no para dormir.

Frigo nos dijo que íbamos a hacer unas cuantas flexiones.

—Las flexiones las va a hacer solo uno de vosotros —añadió.

Nosotros nos miramos extrañados.

Era un poco raro.

Pero es lo que dijo.

Galletti miró a Frigo, se rascó la nariz y dijo:

—Bueno, ¿quién va a ser el que haga las flexiones?

Todos nos quedamos callados porque creíamos
que eso lo iban a decidir los entrenadores.

—¿Algún voluntario? —preguntó Galletti.

Y todos seguíamos sin movernos.

—Si un voluntario hace las flexiones,
los demás pueden echarse a dormir —continuó Galletti—,
pero si no hay ningún voluntario, las flexiones
las hacéis todos.

Yo pensé que no quería hacer flexiones.

Pero que si nadie daba un paso al frente,
de todas formas iba a terminar haciéndolas.

Así que me daba lo mismo hacerlas solo que acompañado.

Y así, por lo menos, los demás se librarían.

—Yo —dije.

—¿Tú qué? —preguntó el gordo Frigo.

—Que yo soy voluntario para hacer las flexiones —dije.

—Muy bien. Pues hala, a empezar: tienes que hacer flexiones durante una hora —dijo Frigo—. Los demás pueden sentarse.

¿Una hora haciendo flexiones?

Nadie había dicho nada de una hora.

Pero ya que me había ofrecido voluntario,
no iba a echarme atrás.

Me puse encima de una colchoneta
y empecé a hacer flexiones.

Una, dos, tres...

Y antes de hacer cuatro flexiones, resulta que había alguien a mi lado y también estaba haciendo flexiones.

Miré a la derecha y vi a Hugo.

—No iba a dejarte que fueras el héroe tú solo —dijo.

Yo le miré y le di las gracias, y seguí haciendo flexiones.

Pero a continuación me di cuenta de que había otros
que también se estaban poniendo a hacer flexiones.

Primero fue Clairac, que por algo era el capitán del equipo.

Después, Biguerini, el italiano.

Y luego, todos los demás.

Incluso Morenilla y Balenko se pusieron a hacer flexiones.

Entonces se abrió la puerta y apareció el entrenador Torres.

Al vernos a todos allí, juntos, haciendo flexiones
a las tantas de la noche, le preguntó al gordo Frigo:

—¿Y esto?

El gordo Frigo se tocó la barriga y se encogió de hombros.

—Nada —dijo—. Le he pedido a uno que hiciera flexiones
y se han puesto todos. Son muy raros estos niños, ¿eh?

Y el gordo Frigo, el calvo Galletti
y el entrenador Torres se rieron.

—Esto empieza a parecer un equipo —dijo.

16

Anna Redkap era una señora rubia de Sudáfrica
que por lo visto sabía mucho de fútbol y de más cosas,
y por eso era la portavoz del comité de sabios.

Había docenas de periodistas de todo el mundo
esperando a ver qué decía Anna.

Nosotros estábamos delante de la televisión, muy atentos.

Anna apareció en una sala de la FIFA rodeada de directivos
y gente de traje y corbata que parecía muy importante.

Se acercó muy despacio al micrófono.

Lo estaban retransmitiendo en directo
por todas las televisiones del mundo.

Yo miré de reojo a Torres, que también estaba
muy atento a la televisión.

Ami estaba de pie, unos metros más atrás, muy pendiente.

Entonces pensé que si Anna decía
que nos teníamos que ir a casa, todo se acabaría.

Y también pensé que era mi cumpleaños.

Hoy cumplía once años.

Y no quería ningún regalo.

Solo quería que nos dejaran jugar el partido.

Anna sacó un folio y comenzó a leer.

La traductora simultánea dijo lo difícil que había sido
tomar una decisión correcta, y los valores y riesgos
y no sé cuántas cosas más que se habían tenido en cuenta.

Y por fin dijo:

—El comité de sabios ha decidido, por mayoría suficiente,
que la selección infantil... juegue el partido
contra la selección mundial de estrellas.

—¡¡¡Síiiiiiii!!!

El grito fue parecido a cuando me eligieron para el equipo,
pero mucho más grande.

Todos empezamos a gritar y a abrazarnos.

Balenko echó a correr y a saltar. Estaba tan contento
que se olvidó de una cosa.

Que seguíamos atados con la cuerda.

Así que, cuando llevaba un par de metros,
la cuerda tiró con mucha fuerza de Balenko.

Y se cayó encima de Torres.

El entrenador lo agarró con las dos manos
para que no se cayera al suelo
y dijo que había que celebrar la buena noticia.

—¿Vamos al parque de atracciones? —preguntó Morenilla.

—Pues ahora que lo dices, algo parecido —respondió Torres.

Todos nos miramos.

Y dos segundos después, Torres nos puso a correr
detrás de una gallina.

El parque de atracciones resultó ser el propio hotel.

Y la única atracción, la gallina.

Torres la soltó delante de nosotros
y dijo que si no la atrapábamos, ese día no comíamos.

Así que todos nos lanzamos a correr como locos
detrás de la gallina.

A primera vista, parecía que iba a ser muy fácil atraparla.

Pero no fue así.

La gallina corría a toda velocidad.

Y yo creo que se reía de nosotros.

El caso es que después de perseguirla por los pasillos,
por el vestíbulo y por el jardín, al final dio un salto,
se subió a una furgoneta de la lavandería del hotel
y se escapó delante de nuestras narices.

Mientras la furgoneta se alejaba con la gallina dentro, pensé que el entrenador Torres podía haber hecho una fiesta para celebrar la decisión del comité de sabios. Incluso podía haber dado la tarde libre. Se me ocurrían un millón de cosas que podía haber hecho y que no hizo.

En lugar de eso, nos puso a correr detrás de una gallina.

Y yo terminé empapado por una manguera del jardín, corriendo detrás de una furgoneta de la lavandería y gritando a un pollo.

Esa fue toda la historia con la gallina.

Después llegó Frigo, y en medio de todo el lío empezó a dar órdenes.

—¡Silencio! ¡Silencio! ¡Iván! Te llaman de España. ¡Y los demás, todos al gimnasio!

Yo estaba en la recepción del hotel, con el teléfono pegado a la oreja.

Desde mi casa chillaban tan fuerte que me tuve que apartar un poco del auricular.

—¡¡¡... es un muchacho excelenteeeeeee... y siempre lo será!!!

Creo que todos en el vestíbulo del hotel lo escucharon.

Me puse rojo de vergüenza.
Pero lo que vino después fue todavía peor.

—¡Ahora sopla! —gritó mi madre.

Por lo visto, estaban celebrando mi fiesta de cumpleaños...
sin mí.

Mi madre tenía la tarta con las once velas en las manos,
y la había acercado al teléfono.

Y me estaban pidiendo que las soplara.

Yo estaba a diez mil kilómetros de distancia,
pero a mi madre eso parecía darle igual.

—¿Cómo que sople? —pregunté.

—Que soples, hombre, te ha dicho tu madre
—respondió mi padre.

Yo miré a mi alrededor, muerto de vergüenza,
y soplé un poco al auricular.

—¡Más fuerte, que no se oye! —dijo mi madre.

No me quedaba más remedio que soplar más,
o no me dejarían en paz nunca.

Así que soplé con todas mis fuerzas al teléfono.

Lo cual posiblemente es una de las cosas más absurdas
que he hecho en toda mi vida.

Escuché gritos y risas y aplausos al otro lado.

Para celebrarlo, mi madre se puso a hacer el robot,
y todo el mundo se puso a hacer el robot.

Y mi madre se puso a hacer la medusa, que es una cosa
que hace con los brazos y la cabeza al mismo tiempo.

La verdad es que no le encuentro ningún parecido
con las medusas, pero a mi madre le gusta llamarlo así.

Después le quitó el teléfono a mi padre.

—¿Qué has cenado hoy, hijo? ¿Te han puesto algo especial?

—Aquí son las tres de la tarde, mamá. Y no hemos comido
porque no hemos cazado la gallina —respondí yo.

—¿Que habéis hecho qué? —volvió a preguntar ella,
muy asustada.

Mi padre le quitó el teléfono a mi madre
antes de que me diera tiempo a explicárselo.

Mientras hablaba, yo oía de fondo quejarse a mi madre.
Que si les hacen cazar gallinas para comer,
que si seguro que no estaba comiendo verduras,
que no me cambiaba las plantillas de los pies...

Y lo más importante del mundo: seguro, seguro, seguro
que no me estaba lavando los dientes tres veces al día.

—Oye, que están aquí tus amigos. Decidle algo a Iván
—dijo mi padre.

Escuché gritos y algunas voces familiares.

—Iván, soy García Corderas. ¡Cómo están las medias lunas
de tu madre! ¡Y no veas la pinta que tiene la tarta!

Y luego, mi padre me dijo:

—Hijo, hay alguien especial que quiere decirte algo.

Y le pasó el teléfono a ese «alguien».

—¿Iván?

Cuando la oí salté de la silla.

—¡Paula!

—Ha sido muy gracioso. García Corderas y tu padre
han echado un concurso a ver quién se comía
más medias lunas. Adivina quién ha ganado.

Tenía que preguntarle lo de Morenilla. No dejaba
de pensar en ello, y no podía dejar pasar la oportunidad.

—Oye, Paula...

—Ah, y me alegro de que no sigas enfadado conmigo
y que esta vez no me hayas colgado —me dijo ella
sin dejarme terminar.

—Yo no quería colgarte.

Iba a preguntárselo. Estaba a punto.

En serio.

Bueno, a lo mejor no.

Pero no me dio tiempo.

—Nos vemos pronto, tengo una sorpresa muy gorda
—dijo—. ¡Adiós, Iván, feliz cumpleaños!

—Espera... ¿Qué sorpresa? ¿Paula...?

Paula había colgado.

Me quedé con el auricular en la mano, sin saber qué hacer.

Entonces, la chica de recepción me dijo:

—Iván, te han mandado esto de España.

—¿Para mí?

Y miré lo que la chica tenía en las manos:
un paquete envuelto en papel de regalo.

Cogí el paquete y me fui directo a la habitación.

Al verme, Hugo dijo que a lo mejor era un regalo
de mis padres; pero no creo, porque me lo habrían dicho.

El paquete estaba abierto sobre mi cama.

Hugo y yo estábamos mirando lo que había dentro.

Eran unas botas de fútbol.

Muy, muy viejas. Más que Hugo y yo juntos.

Con remaches y los tacos gastados.

Y también había una nota escrita a mano.

Esto es lo que ponía en la nota:

«Yo también fui futbolista. Y mi último partido
fue en el mundial de México, en el año 1986,
jugando con la selección de España. Aquel día
llevaba estas botas puestas. No son unas botas mágicas
ni tienen poderes ni nada de eso, pero saber
que llevas puestas las botas que jugaron un campeonato
del mundo puede que te ayude. Feliz cumpleaños.
Firmado: Un amigo».

Cuando terminé de leer, Hugo volvió a mirar las botas y dijo:

—Son unas pinches botas viejas.

17

Galletti estaba subido en el trampolín de la piscina del hotel.

Todos los del equipo estábamos de pie
al borde de la piscina, mirándole.

–A ver –dijo Galletti–. ¿Alguno sabe quién fue Galarza?

Nadie levantó la mano.

Galletti nos contó que, según los que le vieron jugar,
Galarza fue el mejor jugador de todos los tiempos.

Lo hacía todo bien: regate, pase, disparo, velocidad,
resistencia... y además metía un montón de goles.

En su primer año como profesional consiguió
lo que la mayoría de futbolistas tardan toda una vida
en conseguir: campeón de liga, máximo goleador,
fue elegido como mejor jugador, y hasta debutó
con la selección absoluta.

Pero entonces llegó su segundo año como jugador profesional.

Y en el primer partido pasó una cosa que nadie se imaginaba.

Galarza estaba encerrado en el vestuario y no quería salir
a jugar. Nadie sabía por qué. Nadie sabía qué pasaba.
No quería hablar con el entrenador, ni con sus compañeros,
ni con el presidente que le había fichado.
No quería hablar con nadie.

Dijo que solo hablaría con su madre.

Así que rápidamente fueron a buscarla,
y la trajeron en helicóptero al estadio y todo.

La madre de Galarza entró en el vestuario y, al verla,
se abrazó a ella y se puso a llorar como un niño.

Galarza se marchó con su madre, y nunca más
volvió a jugar al fútbol.

Algunos dicen que Galarza lo había ganado todo tan deprisa
que le entró un ataque de pánico.

—Solo pudo jugar un año al fútbol. Se dice que fue
por miedo a ganar, o por miedo a perder, no se sabe.
Y yo no quiero que a vosotros os pase lo mismo.
Por eso tenéis que enfrentaros a vuestros miedos
cara a cara —dijo Galletti.

Se incorporó y se acercó al borde del trampolín.

Galletti estaba muy serio.

Respiró hondo y dijo:

—Empiezo yo. Tengo miedo de que la selección mundial
nos meta una paliza y que hagamos el ridículo.

Y entonces tiró el balón al agua... y saltó detrás de él.
Antes de que el balón tocara el agua, Galletti le dio
con el pie, y se pegó un chapuzón tremendo.

Yo miré a Hugo de reojo. Todo esto era muy extraño,
pero la verdad es que lo de tirarse al agua gritando algo
que te diera miedo tenía su gracia.

Galletti, desde el agua, nos mandó
que hiciéramos nosotros lo mismo.

Los demás empezaron a tirarse,
y yo me puse el último de la fila.

No porque me diera miedo tirarme al agua.

Lo que me daba miedo... era decir lo que me daba miedo.

Clairac dijo que tenía miedo a lesionarse
como Kankwamba y no volver a jugar.

Morenilla dijo que tenía miedo de no marcar nunca más un gol.

Hugo dijo que tenía miedo de hacerse pis en la cama
y que todos se rieran de él.

Y así continuaron uno tras otro,
gritando lo que les daba miedo y tirándose al agua,
hasta que solo quedaba yo.

Pensé que todos habían sido muy valientes
al decir aquellas cosas en voz alta.

—Vamos, acaba de una vez —dijo Galletti.

Sabía lo que tenía que decir, pero no me atrevía.

Porque sabía que me traería problemas.

Pero aquello iba de superar los miedos, ¿no?

Así que pensé: «Ahora o nunca».

Y lo dije en voz alta:

—¡Tengo miedo de Morenilla
y de todos los supercapullos del mundo!

Pegué un balonazo y me tiré al agua.

Bajé, bajé y bajé hacia el fondo de la piscina.

Debajo del agua, las cosas se ven como en un sueño.

Recorrí toda la piscina buceando. Abrí los ojos
y pude ver un montón de piernas moviéndose.

Parecía que iban más lento. Como en los sueños.

Seguí buceando.

Y desde abajo, empecé a ver una figura fuera de la piscina.

A través del agua no podía distinguir bien quién era.

Parecía una niña. Con el pelo rubio.

Fui subiendo hacia la superficie.

Y escuché una voz. Debajo del agua, las voces
también suenan como en los sueños, no sé si lo he dicho.

– ¡Iván!

Saqué la cabeza del agua...

Y allí estaba. Delante de mí.

– ¡Paula!

Ella empezó a reírse.

– Ni que hubieras visto una aparición.
¡Ya te dije por teléfono que te iba a dar una sorpresa!

– ¡Pero qué haces aquí!
– le pregunté mientras salía del agua y cogía la toalla.

– ¿Es que no me vas a dar un beso?

¿Otro beso? Y, más importante, ¿qué tipo de beso?

Miré alrededor. Los chicos estaban en la piscina.

Pero a quien yo buscaba no era a los chicos.

Buscaba a Morenilla, al que acababa de llamar supercapullo
delante de todos.

No estaba a la vista.

– Sí, claro, un beso...

Y le di un beso rápido en la mejilla.

Una birria de beso, la verdad.

En el ránking de besos, si 10 es el beso
que se dieron Iker Casillas y Sara Carbonero
después de la final del mundial,
y cero los que me da mi abuela, yo a este beso
le daría un dos y medio.

O menos.

Paula me miró. Parecía un poco decepcionada,
como en el aeropuerto.

Me contó un montón de cosas.
Voy a intentar recordarlas todas:

a) Había llegado esa mañana. Con su abuelo.

b) A su abuelo lo habían invitado porque jugó un mundial.
   (Sí, un mundial, yo también me quedé con la boca abierta
   cuando me lo contó porque pensaba que era un paquete,
   pero resulta que había jugado con la selección).

c) Que el abuelo no hablaba nunca de ello,
   y le tenía prohibido a ella que se lo contase a nadie.

d) Que ahora tenía que irse a saludar a Morenilla,
   pero que nos veríamos después, y que yo ahora podía ir
   a pasear con el abuelo, que me estaba esperando.

Conclusión número 1:

A lo mejor el abuelo de Paula
era el que me había mandado las botas.

Y conclusión número 2, y mucho más importante:

A lo mejor Paula no había venido a México a verme a mí,
sino a ver a Morenilla.

Después, Paula me dio un beso.

Uno más rápido que el de la primera vez.

También en la boca.

Fue visto y no visto.

–¿Entonces has venido a México a verme a mí
o a Morenilla? –pregunté.

–Qué tonterías dices, Iván...

Y se marchó corriendo.

Me quedé planchado, viendo cómo se alejaba.

Había hecho un viaje larguísimo en avión, me había visto
un minuto, me daba un beso... y se iba a saludar a Morenilla.

¿Alguien me lo puede explicar?

–Bueno, chavalote, ¿me vas a dejar todo el día aquí
al sol, o qué?

Me di la vuelta y, de pie a mi lado, estaba Emilio,
el abuelo de Paula.

Llevaba el traje oscuro de siempre.

El traje parecía todavía más oscuro allí,
en medio de la piscina.

–Yo es que no sé...

–Voy a llevarte a un sitio que conozco aquí cerca.
Vamos a pasear un rato –dijo él.

Empezó a caminar a un paso tan rápido
que me costó seguirle. Y eso que llevaba el bastón.

–Venga, chavalote.

El abuelo me llevó en taxi al centro de la ciudad.

Bajamos y se puso otra vez a caminar muy rápido.

–¿Pero adónde vamos? –pregunté yo.

–No preguntes tanto –me respondió de mal humor.

Y siguió caminando hasta que llegó a la puerta de un local.

A mí no me convencía demasiado la pinta que tenía.

—Latino —dije yo mirando el cartel.

—La Latino —me aclaró él—, el templo del tequila.

¿Me había llevado a una cantina?

Mis padres no me dejan entrar en los bares.
Ni siquiera cuando voy con ellos.

Y mucho menos, cuando estoy solo.

Y ahora el abuelo de Paula quería meterme
¡en una cantina de México!

Emilio entró en el local. No me quedaba más remedio
que seguirle o quedarme allí solo, en medio de la calle.

Así que entré detrás de él.

La cantina era grande, con mucha gente sentada
en las mesas y también en la barra.

Algunos clientes tenían pinta
de llevar allí bebiendo tequila toda la vida.

La Latino era el último sitio donde uno
esperaría encontrar a un niño de once años.

Pero al abuelo eso parecía importarle poco.

Recorrió la barra contando los taburetes.
Exactamente al quinto, se sentó.

—A mí, un tequila, y para mi colega Iván, un mezcal
—ordenó al camarero.

—¿Un mezcal para el nene? —preguntó extrañado el camarero.

—Bueno, entonces tendré que tomarme también el suyo
—respondió el abuelo.

El camarero sirvió dos bebidas.
Y Emilio se tomó las dos de un trago.

—¿Qué hacemos aquí? —pregunté yo.

—¿No te gusta el local? Pues aquí, en esta barra,
justo donde estamos sentados, conocí a Dios.
¿Tú sabes quién es Dios?

Yo no sabía qué responder. Él siguió hablando.

—Y dice mi nieta que te las das de saber de fútbol.

Le dio un trago al mezcal y me contó su historia.

—Yo estaba en esta cantina en 1986,
celebrando la victoria de Argentina contra los ingleses.
Con dos goles de Dios. Uno, el mejor de la historia.
El otro, el segundo mejor de la historia. Con la mano.
La mano de Dios. ¿Sabes ya quién es Dios?

—¿Maradona? —dije dudando.

—¡Premio! Bueno, pues estaba aquí celebrándolo
cuando se abre la puerta y ¿quién entra?
Pues Diego Armando en persona. Y se sentó ahí mismo,
donde estás tú. Bebimos juntos...
y después hizo a Argentina campeona del mundo.

—Tú también jugaste ese mundial —dije.

—Fue mi último año como jugador. En esa época me gustaba
el fútbol, pero ahora no me interesa lo más mínimo.

—Y si no te interesa, ¿por qué has vuelto?

—Por mis cosas.

—¿El homenaje?

—Homenaje... Chorradas. Vengo a mis cosas.

—¿Y de qué querías hablarme?

—Yo no tengo nada que hablar contigo. Solo te he usado
para quitarme a mi nieta de encima. Otro tequila.

El camarero se lo sirvió
y el abuelo se lo volvió a apretar de un trago.

—¿Tú para qué juegas al fútbol, chavalote?

—No tengo ningún motivo —respondí al cabo de un rato.

Y la verdad es que no lo tenía.

–Ya –dijo él, sin mucha confianza.

–Yo juego porque me gusta.

–Porque te gusta.

En ese momento no me di cuenta, pero al decir eso, Emilio sonrió durante un instante.

–¿Tú sabes quién me mandó las botas no mágicas? –le pregunté.

–No sé de qué me hablas. Hala, vamos otra vez con la pelma de mi nieta, que tenemos que vestirnos.

–¿Vestirnos para qué?

–¿No sabes que es hoy la fiesta?

Me había quedado otra vez en fuera de juego.

¿La fiesta? ¿Qué fiesta?

18

Había un enorme cartel en la entrada:

CENA BENÉFICA DE AYUDA A GRISSAU

El salón Emiliano Zapata del hotel estaba lleno de gente.

La mayoría de los hombres iban vestidos de esmoquin.

Y las mujeres iban de largo, muy guapas y muy arregladas.

En cuanto el abuelo de Paula entró en el salón,
Cullen se acercó con una gran sonrisa.

Yo no sabía que el presidente de la FIFA era tan amigo
del abuelo, pero por lo visto hay muchas cosas que yo no sé.

—Tengo que presentarte a unos amigos del comité, Emilio
—dijo Cullen, con su acento inglés.

Pero el abuelo no parecía muy interesado.

—Sí, sí, ahora, Gregg. Primero voy a por una copa,
si no te importa —respondió.

Y acto seguido se fue detrás de un camarero.

—Emilio, es gente muy importante —insistió Cullen.

—Que sí, ahora, ahora...

Pero el abuelo se escabulló en mitad de la fiesta.

Por el salón del hotel había repartidos, en varios corrillos,
algunos mandatarios de la FIFA, políticos, futbolistas
y demás gente importante.

Y separados de todos, en un rincón, estaban Torres,
Frigo y Galletti. También vestidos de gala. Y muy incómodos.

—Hay mucho pingüino esta noche aquí —murmuró Frigo.

—Lo habitual —contestó Galletti.

—Cumplimos y nos vamos.

—De inmediato.

En ese momento, Torres vio algo
que le llamó muchísimo la atención.

Alguien acababa de entrar en la fiesta
y se dirigía hacia ellos.

Era una chica guapísima, con un vestido increíble.

Y la chica les sonreía.

Y era preciosa.

Y...

—¿Ami?

Los tres se quedaron con la boca abierta al reconocer a Ami.

Nunca la habían visto así.

Tan... arreglada.

En los entrenamientos, siempre iba en chándal y con una gorra.

Pero ahora, en la fiesta, iba espectacular.

–¿Qué pasa? ¿Llevo algo mal? –dijo Ami.

Ami parecía otra persona con el vestido de noche
que llevaba puesto.

–No, al revés. Estás muy... interesante
–dijo Torres, que no podía dejar de mirarla.

Pero entonces Torres vio otra cosa que le hizo salir corriendo.

–Lo siento, lo siento, pero me tengo que marchar.

–¿Qué pasa? –preguntó Ami.

–Nada, un problema técnico –explicó Galletti,
que sabía perfectamente lo que estaba ocurriendo.

Y lo que estaba ocurriendo es que acababa de entrar
en el salón la última persona del mundo
con la que Torres querría encontrarse.

Alicia Monet.

Su exmujer.

Acompañada de Germán Cassari.

Su actual pareja.

Y enemigo número uno de Torres.

Y entonces fue cuando Hugo y yo llegamos a la fiesta.

Tarde, como siempre.

Lo primero que vi fue a Paula, muy cerca de Morenilla.

Había varias admiradoras pidiéndole autógrafos.

Desde nuestra llegada a México, Morenilla tenía
su propio club de fans. Decían que era el jugador
más espectacular y más fotogénico del equipo de los niños.

Algunas chicas querían hacerse fotos con él.
Otras le pedían que les firmase autógrafos en servilletas.

Y Paula no parecía muy contenta con todo aquello.

—Aprovecha que tu novia se ha enfadado con Morenilla
—dijo Hugo.

—¡Que no es mi novia! —respondí yo.

—¡Eeeeeh...! ¡Ustedes dos... aquí!

Nos giramos y vimos al entrenador Torres
escondido detrás de una columna y haciéndonos señas.

—Shhhhhhh... Vengan acá.

—¿Te estás escondiendo de la prensa?
—pregunté yo al verle allí.

—No, qué prensa... Miren, ¿ven a la mujer con el vestido azul...
al lado de Cassari?

Y Torres señaló hacia una mesa de la fiesta,
unos metros más allá.

—Pues bien —dijo Torres—, es mi exmujer, y no quiero verla.

—Pues ya la viste —dijo Hugo.

Torres le miró con cara de pocos amigos.

Era raro ver al entrenador asustado por una chica,
la verdad.

—Tienen que hacerme un favor.
Manténganla alejada de mí. ¿Entienden?

—Si lo hacemos, ¿nos pones a jugar de titulares?
—preguntó Hugo.

Torres le dirigió una de esas miradas suyas que significan:
«Mejor no hagas más preguntas ni digas nada más».

Y entonces tuve una idea.

Como dice mi padre:
una idea para matar dos pájaros de un tiro.

Me acerqué a Alicia tranquilamente y le dije:

—Hola, señora, perdone que la moleste,
pero ¿tiene usted más de cuarenta años?

Alicia se puso roja, azul y de todos los colores,
allí en medio de la fiesta, rodeada de gente.

—¿Pero tú de dónde sales? —me contestó.

—Es que ese niño de allí y yo hemos hecho una apuesta:
¿tiene usted más de cuarenta años o no?

Cuando dije «ese niño de allí»
señalé directamente a Morenilla.

—¿Qué apuesta? ¿De qué estás hablando? —insistió Alicia.

Me miraba con los ojos muy abiertos,
sin perder la sonrisa delante de todo el mundo
que estaba a su lado, pero al mismo tiempo
se le notaba que tenía ganas de matarme.

—Yo creo que no, pero es que ese niño dice que tiene usted
más de cuarenta, y nos hemos jugado una Play.
¿Me puede decir cuántos años tiene, por favor?

—Os vais a enterar —dijo Alicia.

Me agarró del cuello y me arrastró
justo hasta el grupo de Morenilla y sus admiradoras.

—¿Quién ha sido? —preguntó Alicia—. ¿Este?

Yo puse cara de bueno y, señalando a Morenilla, dije:

—Sí.

Morenilla no entendía de qué iba todo aquello,
pero antes de que pudiera explicarse,
Alicia me soltó a mí y le agarró a él de una oreja.

—Así que más de cuarenta, ¿eh?

—Pero oiga, señora... Ayyyyy...

—¡Te vas a enterar!

Y Alicia se lo llevó tirando de su oreja y echándole la bronca.

Paula, que estaba a su lado, me miró y sonrió. No hacía falta
que dijésemos nada para entender lo que había pasado.

Dos pájaros de un tiro:

Alica, la ex de Torres.

Y Morenilla, el supercapullo.

Al ver a Alicia ocupada, Torres aprovechó
para acercarse de nuevo a Ami.

—¿Conoces bien la noche de la ciudad? —dijo Torres,
en plan seductor—. Te puedo enseñar algunos sitios...

—Muy amable. No me cabe duda de que tú la conoces
mejor que yo —respondió ella.

Y los dos se miraban haciendo ojitos.

¡Se suponía que no se podían ni ver, y ahora resultaba que estaban los dos en mitad de la fiesta sonriendo y haciendo el tonto!

En ese momento me acordé de García Corderas, que siempre decía: «Los que se pelean, se desean».

García Corderas siempre tenía una frase para cada situación.

—Mandar pibes para decir groserías. Es bajo hasta para vos —dijo Cassari acercándose a Torres.

Al principio, Torres le miró de arriba abajo, sin inmutarse.

Y luego le contestó:

—Tácticas de distracción del contrario. Está en tu libro. Por cierto, muchas gracias por el ejemplar: necesitaba un buen sujetapuertas para el baño.

—Tendré que probarlo —dijo Cassari, sin dejar de sonreír.

El salón de la fiesta estaba lleno de gente, y también había una orquesta tocando canciones.

Torres le dio la espalda a Cassari y le ofreció su brazo a Ami.

–¿Me concedes este baile? –preguntó.

Ami se quedó un poco descolocada.

–Yo es que no soy mucho de bailar –se disculpó ella.

–No te preocupes, yo te llevo... Por favor –insistió Torres, mientras la arrastraba con suavidad al centro de la pista.

Mientras tanto, Cullen se fijaba en todo, sin perder detalle.

Ante la mirada asombrada de todo el mundo, Torres y Ami comenzaron a bailar.

La orquesta tocaba un danzón, que es un baile muy popular en México y que yo nunca había oído hasta esa noche.

El entrenador y Ami empezaron a bailar el danzón allí en medio.

Muy agarrados.

Y todo el mundo los empezó a mirar, porque eran los únicos que bailaban en el centro de la pista.

Poco a poco, Torres se movía más.

Y Ami también se dejaba llevar por la música.

Parecía que hubieran estado bailando juntos toda la vida.

Y también parecía que no les importaba que los mirase tanta gente.

El que estaba muy serio era Cullen.

Los miraba bailar con cara de palo,
como si aquello le molestase.

En un momento dado, me pareció que Ami cruzó una mirada
con Cullen, pero tampoco podía estar completamente seguro.

El caso es que Torres y ella seguían bailando.

Y Torres la agarraba por la cintura.

Y Ami se giraba hacia un lado y hacia otro; de pronto
parecía una bailarina profesional.

En un momento dado, incluso cogió un abanico a una señora
del público y lo abría y lo cerraba en mitad del baile.

Torres parecía feliz
en medio de aquella demostración de baile.

Y por primera vez no parecía un entrenador de fútbol.
Quiero decir que parecía una persona pasándolo bien y punto.

Después del baile, vino el beso.

El tercer y definitivo beso.

Y no estoy hablando de Torres y Ami precisamente.

19

El mismo pasillo del hotel.

La misma camarera.

El mismo carrito.

Pero esta vez no había gallina.

Ni tampoco había veintidós niños corriendo.

Solo eran tres: Morenilla, Balenko y Vasily.

Los tres doblaron la esquina corriendo y miraron
a la camarera, que iba empujando el carrito de la limpieza.

—¿Has visto a un niño de nuestra edad y a una rubia?
—preguntó Morenilla.

—No —respondió la camarera.

Y se encogió de hombros.

—¿Estar segura? —le preguntó Balenko,
intentando intimidarla.

—No he visto a nadie por aquí —dijo ella muy convencida.

Los tres fruncieron el ceño y se marcharon corriendo.

El pasillo se quedó vacío.

Unos segundos después, la camarera dijo:

—Ya se han ido.

Y como por arte de magia, Paula y yo salimos
del interior del carrito.

Estábamos allí escondidos.

La camarera, que se llamaba Gloria, nos había ayudado.

–¿Te has vuelto loco o qué? –protestó Paula–.
¿Qué estamos haciendo aquí?

–Es que tengo que decirte algo importante,
y te lo tengo que decir a solas –le respondí yo.

–¿Y qué es eso tan importante que me quieres decir?

Ya estábamos otra vez con lo mismo.

Quería decirle que no entendía cómo podía estar con Morenilla.

Y que ella y yo... Bueno, que ella y yo éramos amigos,
y vecinos... y más cosas.

Y que además me había dado un beso en España,
y otro en México, y que eso significaba algo.

Pero no sabía exactamente el qué.

La miré fijamente.

Y al final no dije nada.

Simplemente hice una cosa.

Algo que ella había hecho antes.

Esto fue lo que hice: me acerqué a Paula muy despacio
y le planté un beso en la boca.

Un beso de verdad.

Por fin me había atrevido.

Y la verdad es que estuvo muy bien.

O eso me pareció a mí.

Paula se quedó muy sorprendida y me sonrió.

La camarera también parecía muy sorprendida,
y también sonreía, aunque yo creo que por otros motivos.

—¿Y esto? —preguntó Paula.

¿Eh?

Ella me había dado dos besos antes,
y a mí no se me había ocurrido preguntarle nada.

—Pues... —dije.

—¿Qué? —insistió Paula.

—Pues eso, que es nuestro tercer beso.
A partir del tercero ya somos novios —dije.

—¿Quién te ha dicho eso? — respondió Paula riéndose.

—García Corderas...

Y miré a Gloria, la camarera, pidiendo ayuda.

−A mí no me miren −dijo ella−, que yo no sé nada
de ningún García Corderas.

Y entonces oí una voz familiar a mi espalda.

−¡Ahí está! ¡Vamos!

Eran Morenilla y sus dos matones,
que aparecieron otra vez al fondo del pasillo.

−Luego te veo −le dije a Paula.

Y eché a correr sin pensármelo dos veces.

Con Morenilla, Balenko y Vasily pisándome los talones...

−¡Corre, Iván! −gritó Paula.

Y eso es lo que hice.

Correr lo más deprisa que pude.

20

Cerca de allí, dentro de una de las habitaciones, Ami y el entrenador Torres también se estaban dando un beso.

Un momento...

¡El entrenador y la traductora del equipo estaban besándose!

—Nunca pensé que terminaría besando a un enlace de la FIFA —dijo Torres entre beso y beso.

—Hay muchas cosas que no te imaginas —respondió ella.

Y se besaron otra vez.

Alguien aporreó la puerta de la habitación y los interrumpió.

—Perdona —dijo Ami.

Y se acercó a la mirilla, a ver quién era.

Al otro lado de la puerta estaba Cullen.

Y su guardaespaldas.

—¿Estás ahí, Ami? ¡Te he oído! ¡Abre la puerta, por favor! —gritó el presidente de la FIFA desde el pasillo.

Y volvió a golpear la puerta.

A Ami le cambió la cara.

De repente, parecía muy asustada.

—Es Cullen —dijo susurrando.

—¿Y...? —preguntó Torres.

—Pues eso... que es Cullen —insistió Ami,
con el rostro desencajado.

De pronto, Torres entendió lo que estaba pasando.

—¿Andas con Cullen? —preguntó él.

—Un poco... y es muy celoso...
y su guardaespaldas lleva pistola... —respondió ella.

Torres se puso a recoger sus zapatos y su chaqueta
a toda velocidad.

—Ya veo —dijo mientras recogía.

Cullen no dejaban de aporrear la puerta,
y Ami y Torres caminaban en todas direcciones
muy deprisa, como buscando una salida.

—Que conste que me escondo por ti, eh —le dijo a Ami.

—Sí, sí, claro. Por aquí —respondió ella señalando la ventana.

—¿Fuera?

—Es el único sitio... Por favor.

Cullen seguía llamando a la puerta.

—¡Ami, abre!

Después de pensarlo un segundo,
Torres cruzó una mirada con Ami y salió por la ventana.

–¡Ten mucho cuidado! –dijo Ami.

Cerró la ventana.

Y se fue a abrir la puerta.

–Ya voy, Gregg... Ya estoy abriendo...

Ami abrió la puerta y al fin Cullen pareció calmarse.

–Perdona, es que estaba en el baño –se disculpó Ami.

Mientras, el entrenador Torres iba a gatas avanzando con mucho cuidado por la cornisa, intentando no mirar hacia abajo.

Y en ese momento escuchó una voz a su lado.

–Buenas noches, míster.

Torres levantó la cabeza.

Y se quedó helado al verme delante de él.

Sentado también en la cornisa.

Mirándole.

–¿Se puede saber qué haces aquí?
–me preguntó el entrenador.

–¿Y tú? –respondí yo.

–Yo estoy aquí por una cosa de mayores que no entenderías
–dijo Torres–. Pero ese no es el tema...
¡El tema es que no puedes estar en una cornisa
como si tal cosa! ¡Es peligroso... y además es... muy peligroso!

–Eso ya lo has dicho –dije yo.

–No me respondas –dijo Torres.

Y se puso a mi lado, agarrándome en todo momento
para que no me cayera.

Los dos respiramos profundamente y nos miramos.

–Casi te pilla Cullen con Ami, ¿no? –dije yo.

–Eso es cosa mía. ¿Y tú qué haces aquí?
¿Me lo vas a explicar de una vez?

Lo pensé y respondí lo único que podía responder:

–Estoy aquí por una cosa de niños que no entenderías.

Torres movió la cabeza de un lado a otro.

–¿Es por esa niña rubia, la nieta de Emilio?

Me encogí de hombros.

–Morenilla dice que es su novio y quiere estrangularme.
Pero yo le he dado tres besos,
así que a partir de ahora es mi novia.

Torres y yo nos miramos.

Los dos nos estábamos escondiendo en una cornisa del hotel.

Y los dos teníamos problemas con una chica. Por así decirlo.

—Entonces, mejor nos quedamos aquí un rato, ¿no?
—dijo Torres.

—Sí, yo creo que mucho mejor...

Y allí nos quedamos.

Quietos. Sin mover ni un músculo.

Al día siguiente, las cosas se complicaron más todavía.

Pero, por lo menos, no tuvimos que subirnos a ninguna cornisa.

21

−Buenos días, chavalote.

Allí estaba Emilio, el abuelo de Paula,
esperándome en el hall del hotel.

−No hay nada mejor que levantarse temprano
y dar un paseo −dijo.

Yo lo que quería era descansar un rato en mi cama.
No ir de paseo.

−¿No es un poco pronto para «pasear»? −le contesté.

−Hay cosas para las que nunca es temprano ni tarde.
Cuando hay que hacerlas, se hacen y punto −me contestó.

Me miró fijamente, como si me fuera a meter miedo.

Y lo consiguió. No me quedó más remedio que decirle que sí.

−Pero antes tengo que recoger algo −le pedí.

Era la caja con las botas que alguien me había mandado.
Las botas no mágicas.

Pensé que hasta ese momento
no me habían traído mucha suerte.

El abuelo me llevó otra vez a La Latino.

Parecía que le había cogido cariño a esa cantina.

Nos sentamos en los mismos taburetes de la otra vez.
Y le di la caja con las botas.

—Te agradezco mucho que me las dieras,
pero tengo que devolvértelas
—le dije mientras ponía la caja sobre la barra.

—¿Y eso?

—Nos obligan a llevar las nuevas de la marca
que patrocina el equipo. Son unas superbotas.
Y estas son una birria y además me están grandes.

Me miró un momento y lo soltó:

—Entonces me he equivocado contigo. Anda y vete a la mierda.

Me lo dijo así, de sopetón.

Yo le miré y pensé que ningún adulto
me había dicho algo así nunca.

El abuelo de Paula nunca te hablaba
como si fueras un niño.

Te hablaba como si fueras una persona mayor.

Y si tenía que mandarte a la mierda,
te mandaba a la mierda.

—¿Cómo? —dije.

Emilio se giró hacia mí.

—Creía que eras distinto, creía que te gustaba el fútbol,
pero quieres lo que todos. Ser famoso y una estrella
para que te conozca todo el mundo y ganar mucho dinero
y firmar autógrafos. Así que ya no me interesa
hablar contigo. Además, yo no te mandé esas botas.

—¿No fuiste tú?

—Yo no te daría nunca mis botas. No te las mereces.
Pero conozco al que te las mandó.
No te mereces tampoco las suyas. Dámelas.

Yo me quedé pensando un momento, con la caja en las manos.

—Estás mintiendo. Estas son tus botas. Me las diste
porque te caigo bien y quieres que ganemos el partido.

Y empezamos a forcejear por la caja.

—Tú no me caes ni bien ni mal, y esas botas
me las das ahora mismo. ¡Que me las des! —dijo Emilio.

Yo tenía la caja agarrada con todas mis fuerzas,
mientras Emilio tiraba de ella.

Y tiró demasiado.

Tanto, que se cayó encima de una chica con un tatuaje
que estaba detrás de él.

Y a la chica del tatuaje se le cayó al suelo
una jarra de cerveza.

Y lo peor es que al novio de la chica con el tatuaje,
que estaba a su lado y tenía cara de pocos amigos,
también se le cayó su cerveza al suelo.

El tipo era enorme, muy gordo y con la cabeza afeitada.
Y tenía una larga barba negra que le caía hasta la panza.

A primera vista daba un poco de miedo, la verdad.

—¿Qué haces, gachupín? ¡Que te rajo!
—gritó, y se fue a por Emilio.

El abuelo se asustó un poco y le pidió calma con un gesto.

—Un momento, joven. ¿Sería usted capaz de pegar
a un abuelo y su nieto? —le preguntó, sorprendido.

—Pues claro —respondió él, muy seguro—.
Estamos en La Latino.

Y se rio.

Hubo un murmullo general de aprobación en la cantina,
como si el tío tuviera toda la razón del mundo.

Nos iba a pegar una paliza.

Se le veía en la cara.

—En ese caso, no me deja otra opción —dijo Emilio.

—¿Vas a pelear con él? —pregunté yo.

—Mucho mejor... ¡Atención todos:
al que derribe a este tío le doy trescientos dólares!

El abuelo sacó unos billetes y los enseñó en alto.

Y de inmediato, varios clientes se levantaron
y se lanzaron a por los billetes y a por el tío de la barba,
que intentó quitárselos de encima a empujones.

En cuestión de pocos segundos,
se organizó una pelea tremenda.

Yo nunca había visto algo así. En el colegio hay peleas
todas las semanas, y Morenilla casi siempre
estaba metido en medio, pero aquello era muy distinto.

Era una pelea de verdad.

El abuelo me arrastró y salimos corriendo de la cantina,
esquivando vasos y botellas que volaban a nuestro alrededor.

Cuando salimos a la calle yo llevaba todavía la caja
con las botas en las manos.

Esa fue la última vez que estuve en La Latino.

22

El día antes del partido, Cullen convocó una rueda de prensa
con Torres y Cassari.

Parecía la presentación de un combate de boxeo.

Gregg Cullen estaba en el medio. Y a cada lado,
los dos entrenadores.

Los periodistas también esperaban pelea,
y por eso les extrañó mucho que Torres estuviera
tan amable con todo el mundo.

Y hasta que sonriera. Y que brindara.

Dijo que le estaba muy agradecido a Cassari
por haberle robado a su mujer.

Y dijo que admiraba lo valiente que era por enfrentarse
a un grupo de niños. Y después le guiñó un ojo a Ami.

Paula, que estaba al fondo de la sala conmigo,
me dijo que Torres estaba tan simpático
porque se había echado novia.

Y por el modo en que Torres y Ami se miraban,
pensé que Paula a lo mejor tenía razón.

Pero lo más importante que pasó
durante la rueda de prensa fue otra cosa.

Cullen anunció que su viejo amigo Emilio García Portillo,
o sea el abuelo de Paula, iba a ser miembro
del comité ejecutivo de la FIFA.

159

—Emilio se encargará de coordinar los proyectos de la FIFA
en los países en vías de desarrollo —dijo Cullen

Y entonces llegó Emilio y se sentó allí con ellos.

Y yo me quedé con cara de tonto.

¡El abuelo de Paula iba a ser miembro de la FIFA!

Paula me miró y se reía, como si ya lo supiera.

Emilio se acercó al micrófono y se puso muy serio.
Explicó los proyectos que iban a hacer en Grissau
con el dinero del partido benéfico.

Allí en medio, hablando tan serio,
no parecía la misma persona que yo conocía.

Al final del discurso, Emilio por fin se relajó,
miró a todos y dijo que en realidad había aceptado
el cargo porque había oído que todos los miembros
de la FIFA tenían barra libre en todo el mundo.

Los periodistas se rieron.

Y yo me quedé más tranquilo:
ese sí era el abuelo que yo conocía.

Para terminar la rueda de prensa,
Cullen dijo que tenía otra sorpresa más.

—Tengo algo que anunciar —dijo—. Un familiar
de cada uno de los niños del equipo de fútbol está llegando
en estos momentos a México, invitado por la FIFA.

Y así fue.

Esa misma noche, mi madre estaba delante de mí,
dándome besos y abrazos.

—Te he echado tanto de menos, cariño —dijo mi madre.

—Yo también, mamá —dije yo.

Y la dejé que me abrazara un rato más.

Después nos fuimos todos los españoles que estábamos allí
a cenar juntos: Paula y su abuelo, Morenilla y su madre,
y mi madre y yo.

—Qué bien, la comunidad española reunida
—dijo la madre de Morenilla.

—Qué ilusión —dijo mi madre.

Y las dos se rieron. Al parecer, mi madre y la de Morenilla
se habían hecho muy amigas durante el viaje.

Fuimos a cenar a un restaurante muy grande en el centro
de México, con una terraza y vistas a la ciudad.

La madre de Morenilla y mi madre no pararon de hablar
todo el tiempo.

El abuelo de Paula parecía un poco agobiado durante la cena.
Casi no dijo nada, y miraba para todos lados.

–Ha sido un viaje larguísimo, pero ha merecido la pena
–dijo mi madre.

–Ya lo creo –dijo la madre de Morenilla.

Y de repente sacó un osito de peluche del bolso.

Era un osito de esos de trapo
para que jueguen los niños pequeños.

–Pablo, te he traído el osito que te olvidaste,
el de la buena suerte –dijo la madre de Morenilla.

Y le dio el oso a Morenilla.

Paula y yo nos miramos al mismo tiempo
con los ojos muy abiertos.

¿Un osito? ¿Morenilla, el matón del cole,
dormía con un osito?

Esa sí que era buena.

–Mamá, por favor –dijo Morenilla poniéndose colorado.

Pero su madre había arrancado
y parecía que ya no quería parar.

—Oye, qué pasa... Si hay generales
que también duermen con su osito, ¿verdad, Emilio?

Y el abuelo dijo que sí, pero sin muchas ganas.

Paula y yo no aguantamos más, y nos partimos de risa.

Entonces tuvo que meter baza mi madre.

—¿Y tú te has cambiado las plantillas, Iván? Te puse
las de repuesto, que luego te apestan los pies —soltó.

Y en aquel momento quise que se abriera un agujero
y se me tragara la tierra.

—¿Sabéis cómo le llamaban a Iván
en el campamento de verano? —siguió mi madre—.
Babibel, porque le cantaban los pies a quesito.

Un agujero muy, muy grande.

—¿Es verdad, Iván? —preguntó Paula.

—Babibel —empezó Morenilla.

—Yo creo que ya vale, ¿no? —dije yo.

Emilio dio un trago a su café y se puso en pie.

—Voy a dar un paseo para bajar la cena. Iván,
¿me acompañas?

Ya estábamos otra vez.

—¿A «pasear»? —dije dudando.

—Venga, Iván, acompaña a Emilio, no vas a dejar solo
a un miembro del comité de la FIFA... o como se diga,
que nosotras nos vamos a tomar un tequila, ¿verdad?
—dijo mi madre enseguida.

Y se partió de risa otra vez con la madre de Morenilla.
La palabra FIFA les debía de hacer mucha gracia.
O el tequila. O todo a la vez. No tengo ni idea.

Así que me tocó pasear otra vez con Emilio.

Estábamos en una calle del centro.

Nos cruzamos con un montón de turistas
que iban de un lado a otro haciendo fotos.

—Creía que el fútbol y la FIFA ya no te interesaban —dije.

—Chorradas. Si acepto el cargo es para limpiar
el fútbol de chupatintas. A mí lo de estar en el comité
no me hace ninguna gracia.

Seguimos caminando. Y yo empecé a pensar que quizá
con eso del nombramiento el abuelo había cambiado
y ya no quería ir a cantinas y sitios así.

Pero en cuanto llegamos frente a la puerta de un bar,
Emilio se paró frente a él. Y miró a través de la cristalera.

—Por fin.

Yo ya estaba un poco harto de tanto «pasear».

—Por mucho que digas, eso de pasear todo el tiempo
no puede ser bueno —dije.

El abuelo me miró fijamente.

Pensé que me iba a mandar otra vez a la mierda.
Quizá se le pasó por la cabeza.

Pero en lugar de eso dijo:

—Te propongo un trato. Si tú metes un gol en el partido,
yo no vuelvo a «pasear» nunca más.

—Pero...

—¿Pero qué?

—Pero es que eso no depende de mí. Yo quiero meter un gol,
pero a lo mejor no puedo. No depende de mí —dije.

Emilio me miró otra vez a los ojos.

—Es lo mismo que me pasa a mí. Yo quiero dejar de «pasear», pero no puedo. No depende de mí.

Así dicho, tenía razón.

A veces uno quiere hacer algo, pero no puede.

Yo quería meter un gol y no sabía si iba a ser capaz.

Y a lo mejor él quería dejar de tomar tequila y whisky, pero no era capaz.

El abuelo de Paula me daba miedo.

Me llamaba chavalote y llevaba un bastón de madera muy viejo.

Y además se pasaba el día bebiendo.

Sin embargo, había algo en él que me gustaba.

Y que me hacía sentir bien.

Y al fin y al cabo, me había regalado las botas no mágicas. Unas botas que habían jugado un mundial.

Le miré y le dije:

—Trato hecho.

Y nos dimos la mano.

Como se la dan las personas mayores.

Fue la primera vez en mi vida que le daba la mano a alguien.

Los mayores siempre me saludan con dos besos,
o con un pellizco, o lo que sea.

Pero darme la mano así, de verdad, nunca.
Fue la primera vez.

Y me gustó.

—Trato hecho —dijo él.

Inmediatamente después, Emilio caminó hacia el bar.

—¿Adónde vas? Hemos hecho un trato...

—Hasta que metas un gol no hay trato, chavalote.

23

Ami y Torres estaban en la habitación del hotel.
Bailando un danzón. Aunque Ami no parecía muy feliz.

—Te noto un poco rara, ¿qué tienes? —preguntó Torres.

—Nada.

—¿Estás segura?

—Totalmente segura.

Torres acercó su cara para besarla,
pero Ami se separó un poco de él.

—Es que... —dijo ella—, bueno, es que esta tarde
ha pasado una cosa. Nada importante, ¡eh!

—¿Me lo vas a decir de una vez? —dijo Torres.

—Pues nada... Que Cullen me ha pedido esta tarde
que me case con él.

A Torres se le quedó una cara como la que ponen los mayores
cuando algo no les gusta pero no pueden decirlo.

Estuvo a punto de detenerse, pero se lo pensó mejor
y siguió bailando con ella.

Y después de unos segundos, por fin dijo algo:

—Ah, pues no me invitéis a la boda. A mí es que las bodas...

Ami se separó y puso los brazos en jarras.

—¿Eso es todo lo que tienes que decir? —le preguntó ella.

Torres intentó parecer tranquilo.

—Mujer, Cullen es un buen partido,
se rumorea que a lo mejor le hacen lord y todo.
Lo único que es un poco joven para ti, ¿no?

—Imbécil.

Torres no sabía muy bien qué más decir.

Y dijo algo que no tenía que haber dicho:

—Además, conmigo ya sabes que puedes bailar cuando quieras.

Ami se acercó a él.

Y le dio un bofetón.

Hay que reconocer que Torres se lo había ganado.

—¡Ya te dije que a mí no me gusta el danzón!
—gritó Ami, furiosa.

—Yo pensaba que ya te iba gustando —protestó él.

—Pues no pienses tanto... Y haz el favor de olvidarme.

Ami estaba como loca, caminando en círculos por la habitación.

—¡Estoy deseando que se juegue de una vez el partido
y que se acabe todo! ¡Estoy harta de Cullen, de ti,
y sobre todo estoy harta del danzón! ¡Harta!

Parece que Ami estaba harta de muchas cosas.

Ami salió de la habitación dando un portazo.
Torres se quedó allí parado.

No le había dejado decir ni media palabra.

–¿Ami...? ¿Amalia?

A los pocos segundos, se abrió la puerta
y Ami volvió a entrar, caminando a toda velocidad.

–¡Y otra cosa te digo: que yo no me voy a ninguna parte,
que esta es mi habitación! ¡Sal de aquí ahora mismo!

–Pero...

–¡Pero nada!

Torres pasó muy cerca de Ami. Le hizo un gesto,
intentó decirle algo, pero no le salió nada.

Ella se apartó y miró para otro lado,
y Torres salió de la habitación bastante desanimado.

Ami cerró de un portazo.

24

Por fin llegó el día.

El 2 de junio.

Más de mil millones de personas iban a verlo por televisión
en todo el mundo.

Yo nunca había jugado al fútbol
delante de más de cuarenta o cincuenta personas.

La gente empezaba a llegar a los alrededores
del estadio Azteca desde muy temprano.

Había un montón de puestos con banderas y bufandas
y camisetas.

La policía había cortado las calles de la ciudad.

Y había helicópteros por todas partes
vigilando para que no pasara nada.

Pero de lo único que se hablaba la mañana del partido
en todas partes era de una cosa: el entrenador Torres
había desaparecido.

Así como suena: Torres había desaparecido.

No estaba en el hotel, ni en el campo,
ni contestaba al móvil, ni nada.

Nadie podía dar una explicación.

Y en todas las televisiones se hablaba de lo mismo:

«Torres, huido».

«Torres, desaparecido».

Por lo visto, solo había unas imágenes
de la cámara de seguridad del hotel.

En ellas se veía a Torres cruzando el vestíbulo
la noche anterior. Saliendo del hotel.

Estaba muy serio. Más todavía de lo normal.

Toribio se preguntó en el Canal Fútbol
si Torres se había marchado por miedo a Cassari.

—Después de todo, ¿le ha vencido la presión?
—preguntó Toribio.

Y Gallardo, con su peculiar estilo, miró a la cámara
muy fijamente, como si estuviera mirando a Torres
a los ojos, y le habló directamente:

—¿Qué te pasó, Torres? ¿Te entró cuicui?
¡No dejés solos a los pibes! ¡Vuelva, Torres, vuelva!

Quedaban solo unas horas para el partido.

Y estábamos sin entrenador.

Cullen vino al hotel acompañado por Ami,
y un montón de cámaras alrededor.

Dijo que el partido no se iba a suspender
bajo ninguna circunstancia.
Y que no haría más declaraciones.

Un rato después, nosotros ya estábamos
delante del autobús, en la puerta del hotel,
listos para salir hacia el estadio.

Y Torres seguía sin aparecer.

Nadie lo decía, pero todos pensábamos
que si ya teníamos pocas posibilidades de ganar
con Torres, sin él no había nada que hacer.

Galletti miró a Frigo, que estaba muy serio.
Ami también estaba allí, sin decir nada.

Hasta que al final abrió la boca.

—Entonces, ¿vamos al estadio o no?

—De aquí no se mueve nadie hasta que llegue Torres
—contestó Frigo.

—¿Y si no llega? —preguntó Galletti.

Se miraron entre ellos. Ninguno se atrevió a decir nada.

Yo estaba justo delante del autobús, mirando hacia el camino
de entrada al hotel, esperando que pasara algo.
O que apareciera alguien. Pero nada.

Entonces, Morenilla se puso a mi lado.

—Vamos a terminar con esto de una vez, pringao.

—¿Eh?

—Si uno de los dos mete un gol en el partido de hoy, el otro se retira y deja vía libre con Paula —dijo.

Seguía sin entender a Morenilla. O quizá era él el que no se estaba enterando de algo.

—Pero tiene que ser ella la que decida, ¿no? —respondí yo.

—¿Qué pasa, tienes miedo?

Pues sí, tenía miedo.

Quería decirle a la cara que era un supercapullo y que Paula me había dado tres besos y que era mi novia, y que yo no quería ninguna apuesta; pero en lugar de todo eso, lo único que dije fue:

—Lo que tú digas.

—Si meto un gol, te piras.

Los dos nos miramos un instante, y justo en ese momento...

Un coche apareció a toda velocidad y derrapó justo delante del autobús, y todos nos agolpamos delante del coche a ver qué ocurría.

En el lateral del coche había un cartel en el que ponía:
RECIÉN CASADOS.

El primero que salió del coche fue Torres.

Y después, ¡Carmona!

Con su bigote y su gorra.

Frigo se acercó a ellos.

—¿Te has casado con el del bigote? —le preguntó a Torres.

El entrenador se dirigió directamente a nosotros,
sin hacerle caso.

—Tres cosas tengo que deciros: la primera, que Carmona
es capitán de barco y está capacitado legalmente
para hacer bodas. La segunda, que me voy a casar con Ami
ahora mismo en este autobús... si tú quieres —dijo
mientras la miraba—. Y la tercera, que no sé qué hacéis aquí
parados. Hay que hacer una boda y jugar un partido.
Venga, todos al autobús, que no tenemos tiempo...

Y todos nos subimos rápidamente al autobús.

Pero Ami se quedó quieta.

—Yo no me caso contigo ni loca —le dijo a Torres.

Torres le suplicó con la mirada, pero ella le dio la espalda
y subió al autobús, con el gesto serio.

—No es exactamente un barco, pero puede servir...
—dijo Carmona mientras subían.

Cruzamos la ciudad en dirección al estadio a toda velocidad,
como si nos estuviera persiguiendo la policía.

Carmona estaba de pie, con Ami y Torres a su lado.

Aquello tenía toda la pinta de ser una boda,
aunque ninguno de nosotros estaba seguro de que lo fuera.

Ami parecía la novia menos convencida de la historia.

—...Y por el poder que me otorga esta nave, yo te pregunto:
Amalia Padilla, ¿aceptas a Gonzalo Alejandro Torres
como marido para lo bueno y lo malo, en la salud
y la enfermedad, en la abundancia y la necesidad?

—¡Que he dicho que yo no me caso contigo! ¡Yo no quiero
una boda, y menos en un autobús! —se quejó Ami.

Entonces todos nos pusimos a gritar y a reír
y a decir al mismo tiempo que le dijera que sí a Torres.

Yo cada vez entendía menos a las chicas.

A Ami le gustaba Torres. Eso estaba claro.

Y, sin embargo, repetía una y otra vez
que no quería casarse.

Supongo que una cosa es bailar con alguien,
y otra muy distinta casarse.

—Entonces, ¿qué es lo que quieres? —le preguntó Torres.

—¡Que me pidieras que me fuera contigo! ¡Que me pidieras
que no me casara con Cullen! Eso es lo único que yo quería...
Bueno, ¡y que me dijeras que estás loco por mí!

Entonces, Torres se arrodilló delante de Ami.

—Tres cosas te voy a decir, Ami —empezó el entrenador.

Galletti se tocó el reloj de pulsera.
No había tiempo para tres cosas.

—Bueno, dos cosas te voy a decir.

Galletti se volvió a tocar el reloj y tosió.
Tampoco había tiempo para eso.

—Bueno, una cosa... Ami, quiero bailar toda la vida contigo,
y solo contigo.

Ya se lo había dicho.

Todos nos quedamos mirando a Ami,
esperando a ver qué decía.

Ella le miró y sonrió.

—Anda, idiota, levanta...

Agarró a Torres de las solapas de su chaqueta.

Y le dio un beso larguísimo.

Allí delante de todos.

Todos nos pusimos a aplaudir, a reírnos y a hacerles bromas.

—¿Entonces hay boda o no? —preguntó Carmona,
que ya no sabía para qué le habían llamado.

Torres dijo que sí y Ami dijo que no, los dos al mismo tiempo.

Yo todavía no estoy seguro de si hubo boda o no.

Quizá fuera una no boda.

Igual que mis botas, que eran no mágicas.

Quién sabe.

25

−¡Nadie sabe dónde se había metido, pero el caso
es que Torres ha vuelto! −dijo Toribio entusiasmado.

Y luego Gallardo añadió:

−Ya tenemos todo lo que necesitamos: dos equipos
de fútbol, dos entrenadores y un árbitro, así que hablemos
de lo que nos gusta: ¡fútbol, fútbol, fútbol!

Toribio y Gallardo estaban en la cabina de comentaristas
del estadio Azteca.

Y delante de ellos, en las gradas, había cien mil
espectadores.

Lo voy a repetir por si alguien no lo ha entendido bien.

Cien mil espectadores.

Cuando mi madre y la de Morenilla ocuparon sus asientos,
el estadio ya estaba completamente lleno.

A ellas y los demás familiares les habían reservado
un palco especial.

La madre de Morenilla llevaba su osito.
Y la mía no paraba de hablar, de lo nerviosa que estaba.

Todo el mundo estaba esperando a que saliéramos al campo.

Esperando para ver algo que no se había visto
nunca antes en un estadio de fútbol: once niños jugando
contra once adultos.

Paula y el abuelo tenían asientos en el palco de honor,
muy cerca de Cullen, de la directora de UNICEF
y de otras personalidades.

Y también estaba con ellos Kankwamba. Iba con la pierna
escayolada y unas muletas, y aunque no podía jugar,
parecía muy contento de estar allí.

Esos eran los que estaban en el campo, porque en sus casas
viendo el partido había millones de personas en todo el mundo

Mi padre iba a ver el partido en casa, con García Corderas.

Le dio un golpe en la espalda a García Corderas y le dijo:

—Ya verás, vamos a ganar y va a marcar...
hummm... eeeh... Morenilla.

García Corderas le miró, extrañado.

—¿Cómo que Morenilla?

—¿Qué pasa? Es el mejor, ¿no?

García Corderas se encogió de hombros
y dio un trago a su coca-cola.

El equipo de la selección mundial de niños ya estaba
en el túnel de vestuarios. Preparados para salir.

Morenilla y yo éramos los delanteros titulares.

Íbamos en fila de a uno.

El rugido del público en el exterior iba aumentando a medida que nos acercábamos a la boca del túnel.

Yo iba pensando:

«No tengo miedo, no tengo miedo...».

Pero la verdad es que estaba muerto de miedo.

Había llegado el momento.

Frigo y Galletti también estaban allí con nosotros. Y Ami.

Todos estaban muy serios.

El único que parecía tranquilo era Torres.

Estábamos tan callados que solo se oían los cánticos y el ruido de las gradas.

Un delegado de la FIFA nos dijo que teníamos que salir ya al campo.

Pero Torres no le hizo ni caso.

–¿Lo oís? –dijo Torres señalando la boca del túnel–. Es el Coloso de Santa Úrsula. No hay un campo igual en todo el mundo.

«No tengo miedo, no tengo miedo», repetí.

Torres se agarró el cinturón del pantalón y dijo:

—Agarraos fuerte. Porque esta noche
vamos a hacer algo que no se ha hecho nunca antes.

Todos le miramos muy concentrados.

—Vamos a hacer lo nunca visto —dijo—. O lo nunca oído.
Porque vais a gritar. A gritar muchísimo.
Cada vez que un contrario tenga el balón,
gritad todos como si os estuvieran abriendo en canal,
como si os doliera el alma. Y ahora salid ahí, ¡a ganar!

A una señal de Torres, todos echamos a correr por el túnel.

Salimos al campo gritando con todas nuestras fuerzas.

Nada más salir, me deslumbraron los flashes de los fotógrafos.

Y los gritos de los miles de espectadores.

Y las banderas.

Miré las gradas desde el césped.

Pensé que era el sitio más grande
en el que había estado en toda mi vida.

Y estaba lleno de gente.

Gritando y chillando y aplaudiendo. No se oía casi nada.

Y yo allí en medio.

En casa, mi padre también se puso a jalear y a aplaudir.

–¡Vamos, vamos, chavales!

Morenilla y yo éramos los delanteros titulares.

Nos miramos en el círculo central sin decir nada.

Por un instante, tuve la sensación de que Morenilla
era mi compañero de equipo, y teníamos que jugar juntos,
y ya no parecía el supercapullo...

Y sin más, el árbitro hizo sonar el silbato y todo empezó.

26

Gritar.

Como si nos doliera el alma.

Como si nos estuvieran partiendo en dos.

Cada vez que un jugador rival cogía el balón,
nos poníamos a gritar sin parar.

Los que estábamos jugando en el campo,
y los suplentes desde el banquillo también.

Hasta el propio Torres gritaba.

Los jugadores adultos del equipo de las estrellas
no entendían nada.

Nos miraban como si estuviéramos completamente locos.

Y a lo mejor tenían razón.

A lo mejor estábamos locos.

Gallardo, desde la cabina de comentaristas, se partía de risa.

—¡Les están gritando! Esto sí que es nuevo,
incluso para Torres. ¡Enorme, ENORME!

Y también él se puso a gritar.

—Gallardo, por favor —dijo Toribio.

Pero no había manera de pararle.

Toribio se tuvo que quitar los cascos.

El propio Torres y el gordo Frigo y el larguirucho Galletti
también gritaban con toda su alma.

Incluso Ami también chillaba desde el banquillo...

Nuestras familias también gritaban.
Mi madre, la que más. Y la madre de Morenilla,
que movía el osito en el aire al mismo tiempo.

Paula y Kankwamba, en el palco de honor,
estaban de pie gritando, y los políticos y mandatarios
a su lado intentaban mantener la compostura.

Emilio se rio ante la ocurrencia.

–¿Tú no gritas? –le preguntó a Cullen.

–No lo veo muy apropiado –respondió el inglés.

–Tú te lo pierdes –dijo el abuelo.

Y se puso en pie y empezó a gritar con todas sus fuerzas.

En ese momento, todo el estadio acompañaba nuestros gritos.

Era un ruido ensordecedor.

Cada vez que uno de los adultos cogía la pelota,
cien mil gargantas le gritaban con todas sus fuerzas.

Cassari salió del banquillo y protestó al árbitro.

—¡Arbitro, el público puede gritar, pero los jugadores no!
—dijo Cassari.

El árbitro le hizo un gesto con las manos
para que se tranquilizara.

Parece que se estaban poniendo muy nerviosos.

Y entonces, aprovechando que los mayores
estaban desconcertados, empezamos a jugar de verdad.

Como un equipo.

Como si fuéramos atados por una cuerda.

Pases rápidos.

Moviéndonos sin parar.

Tocábamos el balón y nos movíamos deprisa.
Cada vez que alguien recibía el balón,
siempre tenía por lo menos dos opciones de pase.

Le hicimos caso a Torres y nunca tocamos
más de tres veces seguidas.

Y así aguantamos los primeros minutos del partido.

Teníamos delante a los mejores jugadores del mundo.

Y les estábamos plantando cara.

Lee Jung, el coreano que había ganado dos veces el balón
de oro, hizo un regate y chutó desde fuera del área.

Vasily se estiró y pareció volar por un momento.

Despejó a córner entre resoplidos de alivio
y grandes aplausos.

Vasily sonrió y todo el mundo le aplaudió.

–¡Paradón de Vasily, ese crío es un fenómeno!
–estalló Toribio.

–¡Gran Vasily, el lobo de la estepa rusa, este arquero
tiene madera, amigo Toribio! –añadió Gallardo.

Los minutos pasaban y los mayores no eran capaces
de meter gol.

Era increíble, pero estábamos aguantando
y seguíamos cero a cero.

Incluso Morenilla tiró un par de veces a portería.

Cassari se volvía loco en la banda,
dando indicaciones sin parar.

No se podía creer que unos niños estuvieran jugando así.

–¡No perded la posición! ¡Lee Jung, achicando!

El árbitro, harto de los gritos, se acercó al banquillo
y le dijo a Torres que si seguíamos gritando
nos iba a expulsar.

—Se acabaron los gritos de los jugadores —dijo.

Pero Torres le respondió que no estábamos
insultando a nadie. Y que en ningún reglamento de fútbol
pone que no se pueda gritar al equipo rival.

—Si mis jugadores gritan, es cosa suya
—dijo el entrenador, como si él no tuviera nada que ver.

El árbitro miró fijamente a Torres y volvió al campo
sin decir nada más, porque sabía que tenía razón.

Siguió el juego.

Lee Jung llevaba el balón y cayó hacia la banda derecha,
que era donde estaba yo.

De momento, yo no había participado mucho en el partido.
Había gritado y había corrido sin parar,
pero apenas había tocado un par de veces el balón.

Lee Jung tenía el balón y yo le perseguía,
corriendo lo más deprisa que podía.

Pensé que si no le quitaba el balón,
iba a pegar otro de sus disparos desde fuera del área.

Y cuando el coreano tiraba, era el más peligroso del mundo.

Aprovechando que salió Clairac y Lee Jung
tuvo que hacer un pequeño quiebro, me crucé
y me lancé en plancha al suelo para robarle el balón.

Entonces, Lee Jung hizo una cosa
que yo no hubiera imaginado en la vida.

Se tiró.

Saltó sobre mi pierna y se tiró descaradamente al suelo.

Un piscinazo.

Yo no le había tocado.

Pero el árbitro no lo vio así.

Al árbitro ni se le pasó por la cabeza que un balón de oro,
el mejor del mundo, fuera capaz de hacer un piscinazo
contra un equipo de niños.

Así que señaló falta directa al borde del área.

Y eso no fue lo peor.

Lo peor fue que me miró y me dijo:

—Entrada por detrás muy fea.

A lo mejor, el árbitro estaba harto de nuestros gritos.

O a lo mejor le habían dicho que era un partido benéfico y había que defender el juego limpio.

O a lo mejor, simplemente, se equivocó.

No lo sé.

El caso es que vino directo hacia mí y movió la cabeza.

—Lo siento mucho —dijo.

Y me sacó tarjeta roja.

27

Expulsado.

En el minuto 27 de la primera parte.

No me lo podía creer.

Yo creo que ninguna de las cien mil personas
que había en el estadio se lo podía creer.

Después de todo por lo que había pasado para llegar allí,
me expulsaban.

Se acabó el partido para mí.

Pensé en las botas no mágicas, y en Paula,
y en un montón de cosas al mismo tiempo.

Todo el banquillo se puso a protestar al árbitro.
También Torres, Frigo, Galletti, Ami... y todo el mundo
en la grada.

—¿Es que no ves que se ha tirado? —le gritó Torres.

Pero ya no había solución.

Cuando un árbitro saca tarjeta roja, no hay vuelta atrás.

Gallardo se volvió loco en su cabina y empezó a gritar:

—¡Expulsado! ¡Iván, delantero centro de los niños,
expulsado! ¿Pero qué desayunó este árbitro?

—Así es el fútbol, querido Gallardo —dijo Toribio
en un tono algo más tranquilo—. A veces es muy injusto.
El caso es que los niños se quedan con diez jugadores.

Yo tenía que irme del campo.

Ya no podría meter un gol.

Y no podría cumplir mi trato con Emilio.

De camino a la salida me crucé con Morenilla,
que se despidió a su manera.

–Perdedor –me dijo.

Torres siguió protestando desde el banquillo.

Ami se acercó y me dijo que no me preocupara.

–No te preocupes –dijo, y me paso la mano por el pelo.

Pero sí que estaba preocupado.

Y mucho.

En el terreno de juego, Lee Jung colocó el balón
y se preparó para sacar la falta.

Me quedé junto a la banda para ver el tiro,
pero el cuarto árbitro se acercó y me dijo que no podía
estar allí y que me tenía que ir al vestuario.

–Tienes que abandonar el terreno de juego –dijo.

Mientras me iba por el túnel de vestuarios,
me di la vuelta un momento.

Lee Jung tomó carrerilla.

Se acercó al balón.

Y disparó una de sus famosas roscas...

El balón salió volando y entró directamente por la escuadra.

Gol.

Totalmente imparable.

Vasily se quedó mirando el balón dentro de la portería.

Y todo el mundo se quedó paralizado.

–¡Gooooooooooolazo de Lee Jung! ¡Qué lanzamiento!
Por algo es el mejor delantero del mundo –dijo Toribio.

La gente en el estadio aplaudió sin muchas ganas.

La verdad es que había sido un golazo.

Uno a cero.

Después de eso, entré en el vestuario y me quedé allí solo.

No tenía fuerzas para moverme.

Simplemente, me quedé allí sentado,
escuchando los gritos que venían desde fuera.

Más de cien mil personas gritando al mismo tiempo
son muchas personas.

Y escuchar un partido de fútbol desde el vestuario
es una cosa muy rara.

Tú estás allí dentro, completamente solo. Y sabes
que a unos pocos metros están tus compañeros corriendo.

Pero no puedes hacer nada.

Y cuando escuchas gritos y aplausos,
no sabes si es porque alguien ha metido un gol o por qué.

Bueno, cuando metieron un gol, sí que me enteré.

De pronto escuché un murmullo que iba creciendo
poco a poco...

Como si todo el mundo en la grada estuviera murmurando
al mismo tiempo.

Y de pronto hubo un estallido:
«¡Oooooooooooooooooooooooh!».

Y por último se oyeron aplausos y gritos y más cosas,
todo mezclado.

La selección mundial de estrellas había metido otro gol.

Lee Jung.

Otro golazo.

2 a 0.

Y encima, nosotros estábamos con diez.

–Esto pinta muy mal para los niños –dijo Toribio.

–No te agrandes, Bruce Lee, que son pibes
–añadió Gallardo señalando a Lee Jung,
que parecía entusiasmado.

Aquello tenía pinta de acabar siendo otro desastre
como el del Matusén.

La diferencia era que ahora nos estaban viendo
mil millones de personas en directo.

Por suerte, el árbitro pitó el final de la primera parte.

Y todo el equipo de los niños entró al vestuario.

–Lee Jung nos tiene atorados. Ni vimos el balón
–me dijo Hugo al sentarse a mi lado.

Parecía muy desanimado.

Igual que el resto de mis compañeros.

–Hay que defender en zona, marcar a Lee Jung
en una zona de tres defensas –dijo Galletti.

–Lo mejor es que Gutiérrez se pegue a él
por todo el campo, que le persiga por todas partes,
como una lapa –replicó Frigo.

—Pero así perdemos un jugador —insistió el largo.

Parecían mi padre y mi madre cuando discuten sobre
si comprar una lavadora o una nueva cámara de fotos.

Y cuando ambos empezaron a subir el tono de voz,
el entrenador Torres entró de nuevo y dio un grito.

—¡Silencio, por favor!

Tenía una vieja lata en las manos.
La abrió como si fuera un tesoro.

Sacó unos cromos viejos
en los que aparecían fotos de futbolistas legendarios.

Torres los fue nombrando según los enseñaba.

—Pelé, Rivelino, Jairzinho, Tostão, Carlos Alberto...
la selección de Brasil de 1970. Probablemente, el mejor equipo
de fútbol de toda la historia. Y ganaron el mundial aquí,
en este estadio, en el mismo sitio donde estáis jugando.

Torres fue sacando más cromos y nombrando jugadores:
Everaldo, Clodoaldo, Gerson, Félix...
Todos los cromos tenían el autógrafo de cada jugador.

—Mi padre consiguió los autógrafos de todos
y me los fue dando, uno a uno, cada vez que yo ganaba
un partido —dijo Torres—. Luego gané trofeos «de verdad»

como jugador y como entrenador, algunos importantes.
Pero estos que hay aquí siguen siendo mis trofeos
más preciados. Nada vale más que estas estampas.
Ni siquiera la copa del mundo.

Entonces empezó a dárnoslos, uno a uno.

–Y ahora os voy a dar a vosotros los cromos
de los campeones. Os los habéis ganado.
Guardáoslos bajo la camiseta y salid a jugar con ellos.

Mientras nos los daba, mirábamos los cromos impresionados.

Sin atrevernos a decir nada.

Se notaba que era algo muy importante para Torres.

Todos menos Hugo, que al ver su cromo dijo:

–¡Me ha tocado el del masajista! ¡No es justo!

Torres siguió hablando.

–Hoy todos tenéis dos familias: la que está ahí fuera
y la que habéis formado entre vosotros durante estos días.
Los de ahí fuera han hecho viajes larguísimos para veros.
Porque os quieren y porque creen en vosotros. Han sido
los únicos que siempre han tenido fe. Nadie espera que ganéis
este partido. Pero ellos sí. Salid y ganad por ellos,
pero también por vuestra segunda familia: el equipo.

—Y por mí también, cagones, si no queréis
que os parta el alma —terminó Frigo—. Hala, vamos...

Todos salieron del vestuario, y yo me quedé allí dentro
otra vez.

Ami me miró antes de salir.

—Si quieres puedes cambiarte de ropa
y ver la segunda parte desde la grada.

Pero yo preferí quedarme en el vestuario.

No sabía por qué, pero tenía la intuición
de que algo bueno pasaría si me quedaba allí.

Y gracias a eso, pasó lo que pasó.

28

A la media hora de la segunda parte, ya no podía más.

Me dije: «Voy a salir».

La curiosidad me podía.

Pero justo en ese momento, entró Frigo corriendo.

—Estamos jugando muchísimo mejor —dijo—. Clairac casi mete un golazo, y todo el estadio está de pie aplaudiendo. ¡Está tremendo el partido, uno de los mejores de la historia!

Y cogió una garrafa de agua.

Y se fue otra vez corriendo.

Yo me quedé allí en medio como un pasmarote.

Sin saber qué hacer.

El partido más increíble de la historia, y yo allí abajo, en el vestuario.

Pensé que si era capaz de quedarme allí metido sin salir y aguantarme la curiosidad, es que algo bueno iba a pasar.

Me dije: «Si me quedo aquí dentro, pasará algo bueno».

Y cerré los ojos.

Y simplemente escuché los gritos y los aplausos que venían de fuera.

Luego, todo se quedó en silencio.

Durante un buen rato, no se escuchaba nada.

Los minutos pasaban, y nada.

Ni gritos.

Ni aplausos.

Ni nada.

¿Qué estaba pasando?

Entonces se hizo un silencio.

Y se escuchó un «Ohhhh» tremendo, y al poco, un portazo.

Entraron Frigo y Galletti. Entre los dos llevaban
a un jugador de nuestro equipo, que iba quejándose
y sangrando por la cabeza.

Me acerqué para ver quién era.

Morenilla.

–Se ha chocado contra un poste al ir a rematar
–explicó Frigo.

Galletti le examinó.

Yo pensé durante un segundo que Morenilla se merecía
lo que le había pasado, por supercapullo.

Pero luego chilló de dolor y me dio pena
y me hizo sentir mal por pensar eso.

—Es una buena herida —dijo Galletti.

Empezaron a ponerle una venda para taparle la brecha.

Morenilla daba gritos y Frigo y Galletti le ponían la venda
alrededor de la cabeza y le pedían que no gritara,
porque cada vez estaban más nerviosos.

Cuando terminaron de vendarle, le dijeron que se sentara
en una camilla que había al fondo del vestuario.

—Tú aguanta aquí, eh, campeón. Ahora venimos —le dijo Frigo.

Y volvieron corriendo al campo.

Morenilla y yo nos quedamos los dos solos en el vestuario.

Parecía una momia con aquella venda
que le cubría casi toda la cabeza.

—¿Quién ha entrado por ti? —pregunté.

—Estamos con nueve. Torres había hecho todos los cambios
—dijo él.

—¿Y cuánto queda?

—Yo qué sé. Dos minutos o algo así debe quedar.

Morenilla se llevó la mano a la cabeza, como si le doliera
un montón o como si estuviera a punto de llorar.

Aunque no estoy seguro, porque casi no se le veía la cara con aquella enorme venda.

Le volví a mirar y se me ocurrió una cosa.

A lo mejor era un disparate.

Morenilla tenía una herida en la cabeza y no se podía mover.

La selección mundial de niños estaba con nueve jugadores.

Y yo estaba allí.

—Dame tu camiseta —dije.

Morenilla entendió rápidamente lo que yo quería hacer.

Me miró.

Y por fin dijo:

—Esto no va a salir bien ni de coña.

Pero aun así, me dio su camiseta.

29

Lo primero que miré al salir fue el marcador:

Selección Mundial, 2; Selección Infantil, 0.

Apenas quedaban dos minutos.

Nada más verme junto a la línea de banda,
Galletti se acercó a mí.

–¿Pero qué haces? Vuelve ahora mismo al vestuario.
Tienes una herida en la cabeza –dijo.

Pero yo miré hacia otra parte y emití una especie de gruñido:

–Grrrrrr, estoy bien.

La verdad es que se me daba bien imitar a Morenilla.

Toribio y Gallardo se pusieron en pie al ver a un niño
con una venda que le cubría toda la cabeza
a punto de entrar en el campo.

–¿Qué es eso, Toribio? ¿La momia?

–Parece que, después de todo, Morenilla vuelve al terreno
de juego –respondió Toribio.

Había colado.

Todos me habían confundido con Morenilla.

El árbitro me hizo una seña para que entrara.

En las gradas, la madre de Morenilla
agarró con fuerza el osito.

—¡Pablo, ten cuidado, por lo que más quieras! —gritó.

Nada más saltar al campo, Hugo me pasó el balón.

Y entonces sentí una cosa muy rara.

Sentí que, aunque hubiera cien mil personas mirándome
en el estadio, y mil millones en todo el mundo,
yo no tenía nada que demostrar.

Para empezar, porque nadie sabía que en realidad era yo
el que estaba jugando.

Y para continuar, porque lo importante no era
lo que los demás pensaran.

Lo único importante era el balón.

Estaba en un campo de fútbol y tenía un balón en los pies.

Igual que en el patio del colegio.

Y sabía perfectamente lo que tenía que hacer.

Así que empecé a avanzar con la pelota.

Un defensa enorme se acercó a mí.

Le hice un quiebro a la derecha
y me fui de él como si fuera lo más normal del mundo.

Gallardo se entusiasmó.

—Y ahí va Morenilla, como una locomotora —dijo—.
Se va de uno, se va de dos, se va de tres...
¡Fenómeno Morenilla, ese pibe es un monstruo!
¡¡Es un fenómeno, Toribio!!

El número ocho de los adultos me tocó la cadera
y salí a trompicones y estuve a punto de caer al suelo.

Pero recuperé el equilibrio justo a tiempo para pasar el balón
entre las piernas de otro central, que creo que era italiano.

—Qué caño le acaba de tirar un niño de once años
al central titular del Inter de Milán —dijo Toribio.

Solo quedaban dos defensas.

Seguí corriendo, llegué a la frontal del área
y los dos defensas se lanzaron en picado contra mí.

Y entonces me dejé llevar otra vez.

Dejé que mis pies decidieran.

Toqué el balón en largo.

Y salté.

Los dos defensas se chocaron entre ellos, se pegaron
un golpe tremendo y quedaron tirados en el césped.

Estaba solo frente al portero.

—¡Tira ya, muchacho, que me da un infarto! ¡Tira... tira...!
—dijo Gallardo, que parecía que de verdad le iba a dar
un ataque al corazón.

Pero en lugar de eso, encaré al portero de frente
y le regateé a él también.

Y ya está.

A puerta vacía, le pegué al balón, que entró suavemente.

¡¡¡GOOOOOOOOOOOOOOOOL!!!

Todo el mundo se volvió loco.

En el palco, en las gradas, en el banquillo,
todos saltaban y se abrazaban y gritaban sin parar.

Gallardo estaba emocionado.

—¡Hay que hacerle un monumento a este crío!
¡Esto no es fútbol, esto es arte, esto es muy grande,
te quiero, Toribio, te quiero! —le dijo Gallardo a Toribio,
besándole.

—Y yo a ti, Gallardo —le respondió Toribio,
que no sabía cómo quitárselo de encima.

Y también mi padre y García Corderas
se abrazaban delante de la televisión.

–¡Lo sabía, lo sabía! ¿Qué te dije? ¡Morenilla!
–dijo mi padre.

Yo vi venir corriendo a todos los de mi equipo.

Y entonces me toqué la venda de la cabeza,
y me di cuenta de que yo no era yo: era Morenilla.

Acababa de meter el gol más importante de mi vida,
delante de mil millones de personas, y un estadio entero
se había puesto en pie para aplaudirme.

Pero no podía quedarme a celebrarlo.

Así que salí corriendo, sin abrazarme con nadie, y me fui
del campo con los brazos levantados en señal de victoria...

–Morenilla está tan emocionado
que sale corriendo del campo...

–¡Pero qué hace ese pibe! Se ha vuelto loco.
¡Que no ha terminado todavía el partido, boludo!

Salí del terreno de juego ante la mirada atónita
de millones de personas de todo el mundo.

–¡Vuelve, Morenilla, vuelve! –suplicaba Gallardo.

Atravesé los pasillos a todo correr,
entre gritos y aplausos. Entré en el vestuario
y me encontré con Morenilla.

–Has metido un golazo como el de Maradona
–dije, casi sin poder respirar de la carrera.

–¿Yo?

–Sí.

Morenilla lo comprendió enseguida.

–¿Y qué haces aquí, pringao? Sal y mete otro.

Me lo pensé un segundo.

Pero había poco que pensar, la verdad.

Así que salí pitando otra vez hacia el campo.

Al llegar a la línea de banda,
esta vez fue Frigo el que se acercó a mí.

–¿Se puede saber qué hacés?
¿Es que el golpe te ha afectado la cabeza?

–Un poco.

Y sin esperar más, salté otra vez al terreno de juego.

Torres me hizo un gesto para que me adelantara.

–Ahí está otra vez Morenilla –dijo Gallardo–.
«La Momia Segunda Parte».

Casi no quedaba tiempo para el final del partido.

—¡Solo quedan unos segundos, pero si los niños
meten otro gol, según las normas pactadas,
habrá prórroga...! —explicó Toribio.

—¡Déjame que bajo yo a rematar! —dijo Gallardo saltando.

El ruido era ensordecedor cada vez que los mayores
llevaban la pelota.

El público estaba de pie y gritaban como posesos
a los adultos.

El balón salió rebotado y me llegó a mí.

Miré a la portería contraria.

El portero de la selección de adultos estaba fuera del área.

Y yo tenía el balón.

Tenía una sola oportunidad.

No podía ser una casualidad.

Es como si todo lo que había ocurrido desde que anunciaron
la selección mundial de niños acabara justo aquí.

En ese momento.

Todo se había juntado para que yo le pegara a ese balón.

Con esas botas.

Y en ese preciso segundo.

Así que chuté.

Con toda mi alma.

Con las botas no mágicas.

Y el balón salió disparado hacia la portería contraria casi desde el centro del campo.

El balón voló y voló.

Era como si fuera a cámara lenta.

Todos, Paula, Emilio, Cullen, Torres, Frigo, Cassari, nuestras madres, mi familia en España, los jugadores, absolutamente todos, seguían con la mirada el balón.

Que empezó a bajar.

Pasó por encima del portero, que no llegó a tiempo.

Y cayó, cayó, cayó...

Iba dentro...

Iba directo a la portería...

Pero en el último instante, tocó en el larguero...

Cayó justo sobre la línea de gol...

Y salió fuera.

No había entrado.

Por un milímetro, pero no había entrado.

El árbitro pitó el final del partido.

Y se acabó.

Resultado:

Selección Mundial de Adultos, 2; Selección Mundial de Niños, 1.

Habíamos perdido.

–¡No, no, Toribio, no...! ¿¡Por qué!?

–El balón no quiso entrar. Así es el fútbol, Gallardo.
Y el partido se acabó. Las estrellas mundiales
han ganado un partido... ¡épico!

Los jugadores adultos casi ni lo celebraron,
del susto que habían pasado.

Nosotros nos quedamos sin saber qué hacer ni qué decir.

Pero entonces mi madre se puso de pie en la grada
y empezó a gritar:

–¡Campeones, campeones, oé, oé, oé...!

Y enseguida se sumaron todos los padres y las madres.

Y luego, más gente de la grada.

Y poco a poco, casi todo el estadio.

Y más gente, y más gente.

Muy pronto, todo el estadio aplaudía y gritaba.

—¡CAMPEONES, CAMPEONES, OÉ, OÉ, OÉ!

Toribio y Gallardo se volvían locos en su cabina.

—Todo el mundo aplaude a los niños, que han hecho
una gesta increíble: marcarle un gol a una selección
de jugadores profesionales, a los mejores del mundo.

—Y lo que es más importante: estos pibes les han jugado
de tú a tú con uno menos. ¡Con uno menos!

—Es un momento único en la historia del fútbol.
Los niños han perdido, pero esta noche han hecho historia,
y nos han recordado a todos los valores que hacen
que el fútbol sea un deporte único...

—¡Vivan los pibes y viva la madre que los parió!
—añadió Gallardo.

En medio de los cánticos y los aplausos,
Cassari se acercó a Torres.

Se miraron durante un instante,
y después Torres le tendió la mano.

—Ahora ya puedes ir a cambiarte los pañales
—le dijo Torres—. Has estado a punto de perder
con unos críos.

—Has perdido —le respondió Cassari.

—En eso te equivocas. Hoy he ganado mucho más
de lo que te imaginas —dijo Torres.

Y le dejó allí con la palabra en la boca.

30

–¿Pero hemos ganado, o no?

Estábamos en el vestuario, y Morenilla me miró
con cara de pasmado y me preguntó otra vez lo mismo:

–¿Hemos ganado, o no?

–Hemos perdido –dije–, pero todo el mundo
te está aplaudiendo.

Morenilla sonrió.

–¿Qué pasa? –le pregunté.

–Que Paula y todos los demás piensan
que el golazo lo he marcado yo.

–Ya, pero...

–¿Pero qué?

Miré a Morenilla y pensé que daba igual lo que yo dijera.

Era un supercapullo.

Y seguro que se aprovechaba de aquella situación.

Morenilla se puso otra vez su camiseta.

Y de golpe empezó a entrar todo el mundo en el vestuario:
el resto de jugadores del equipo, los entrenadores
que se abrazaban, los periodistas, los familiares...

Torres y Ami también entraron, y todo el mundo
se abrazaba y se felicitaba por lo que habíamos hecho.

Como si realmente hubiéramos ganado.

En cuanto la prensa vio a Morenilla, todos se fueron hacia él.

—Morenilla, eres el héroe del partido.
¿Qué has sentido al marcar ese golazo? Cuéntanos
cómo ha sido —le preguntó un periodista mexicano.

—Pues... no sé, seguí mi instinto...

Yo miré a Morenilla, pensando que se merecía
otro golpe en la cabeza.

Entonces mi madre llegó junto a mí
y me dio uno de sus abrazos asfixiantes.

—Yo te quiero igual, aunque no hayas metido ningún gol.

—Qué bien.

Había un montón de gritos y de gente en el vestuario.

Pero mientras mi madre me seguía abrazando,
vi que Paula se acercaba a Morenilla.

—Es el mejor gol que he visto en mi vida —dijo ella.

Eso que dijo me dolió más que cuando el balón no entró.

—Sí, bueno, no ha estado mal —dijo Morenilla.

—¿Y cómo ha sido?

–¿El qué?

–Pues la jugada del gol, todo lo que has hecho
en el campo, cuenta, cuenta –preguntó Paula.

–Bueno, es que todo ha sido tan rápido que...
Además, tú misma lo has visto.

–Ya, ya, pero cuéntamelo otra vez.

–Pues... es que... Lo importante...
es que he metido un golazo, ¿no? –dijo Morenilla.

Paula miró fijamente a Morenilla.

–Morenilla, tres cosas tengo que decirte: la primera,
que todo el mundo piensa que eres un supercapullo
–y le dio un buen empujón–; la segunda, que yo también
lo pienso –continuó Paula, otro empujón más–, y la tercera,
que como vuelvas a decir por ahí que soy tu novia,
te vas a enterar... –Paula le pegó un último empujón
y Morenilla cayó de culo...

¡Dentro de la bañera de hidromasaje!

Estaba completamente empapado.

Y mientras escupía agua dijo:

–¡Oye, a mí nadie me llama supercapullo a la cara!

Paula se giró hacia mí y nos miramos.

Cuando metí el gol, pensé que era lo mejor
que había en el mundo.

Pero la verdad es que ese momento fue todavía mejor.

Morenilla seguía dentro de la bañera.

Algunos debieron de pensar que se había tirado a propósito.

Para celebrar el gol o lo que fuera.

Vasily no lo pensó ni un segundó y saltó dentro de la bañera.

Y otros fueron detrás.

Pronto, la bañera se llenó de niños chapoteando
y riéndose y haciendo bromas.

Hugo me abrazó y me hizo saltar con él.

–¡¡¡Campeones, campeones, oé, oé, oé...!!!

Todos en el vestuario cantábamos y gritábamos cosas
en alemán, y en inglés, y en francés, y en árabe,
y en muchos idiomas.

En la entrada del vestuario,
Torres atendía a una periodista del Canal Fútbol.

–Torres, ¿vas a cumplir tu palabra? ¿Te retiras del fútbol?

–¿Es que no lo oyes? –le preguntó Torres.

–¿El qué?

–El público...

Efectivamente, en el exterior,
todo el estadio seguía gritando y aplaudiendo:

–¡¡¡CAMPEONES, CAMPEONES, OÉ, OÉ, OÉ!!!

Torres no dijo nada más, y Ami le dio un beso
delante de las cámaras que seguro que daría mucho
que hablar.

La periodista miró fijamente a la cámara y se despidió:

–Y así acaba esta retransmisión, señores y señoras.
Los niños han perdido, pero han plantado cara a las mayores
estrellas del mundo. Y además han metido uno de los mejores
goles de todos los tiempos. Y sin más, despedimos la conexión
desde el estadio Azteca. Sean felices y recuerden:
no todo en la vida es fútbol.

31

El estadio estaba vacío.

Y yo me encontraba justo en el punto exacto
desde el que hice el último disparo.

Miré hacia la portería, pensando qué podría haber pasado
si el balón hubiera entrado.

—Ahora tengo que cumplir yo mi parte del trato
—dijo una voz a mi espalda.

Me giré y vi al abuelo Emilio. A su lado estaba Paula.

—¿Crees que no íbamos a darnos cuenta de lo de las botas?
—dijo ella.

—Lo sabía, son tuyas —respondí yo sonriendo.

—Sigues sin merecértelas. Mira que fallar un gol desde ahí
—dijo Emilio.

—¡Estaba en el centro del campo! —protesté yo.

—Excusas.

Y sonrió. Yo también.

—Venga, que nos están esperando para ir a celebrarlo
—dijo Paula.

Le cogí de la mano y echamos a andar.

Detrás de nosotros iba Emilio,
como el día que fuimos a las pruebas de selección.

—A ver qué haces con mi nieta, que te estoy vigilando —me advirtió él.

—Así que te gustó mi gol, ¿eh? —respondí yo.

—Bah, yo los metí mejores.

—Y yo —saltó Paula.

Y ya está.

Así acaba esta historia.

En el estadio Azteca.

El único estadio del mundo donde se han jugado dos finales de un mundial.

El único estadio del mundo donde once niños plantaron cara a los mejores jugadores del planeta.

Y el único estadio donde un niño de once años con la cabeza tapada por una venda había metido un gol increíble.

Si tengo suerte, a lo mejor algún día puedo jugar otro partido así.

Quién sabe.